COLLECTION FOLIO

Lecteurs, à vous de jouer !

Questions réunies et rédigées par Véronique Jacob

Gallimard

Les questions de cet ouvrage sont classées en trois parties de difficulté croissante.

FAITES VOS JEUX...

✵

1. Dans quelle pièce de William Shakespeare un personnage prononce-t-il cette phrase : « Mon royaume pour un cheval » ?

- *Henri VI*
- *Richard III*
- *Louis XIV*

2. Lequel de ces romans n'a pas été écrit par Jane Austen ?

- *Emma*
- *Orgueil et préjugés*
- *Les Hauts de Hurlevent*

3. Qui est l'amant de la reine Guenièvre dans la légende arthurienne ?

- Perceval
- Gauvain
- Lancelot

4. « La terre est bleue », constate Paul Éluard dans *L'amour la poésie*, oui, mais bleue comme quoi ?

- Le ciel
- Tes yeux
- Une orange

5. Trois indices pour trouver ce roman : bateau, Ismaël, baleine. C'est ?

- *Moby Dick*
- *Le Tour du monde en quatre-vingts jours*
- *Trois hommes dans un bateau*

6. À quel personnage le Chat pose-t-il cette question énigmatique : « Est-ce que tu es de la partie de croquet de la Reine, cet après-midi ? »

- À Marthe
- À Sophie
- À Alice

7. « Je ne vois rien que le soleil qui poudroie, et l'herbe qui verdoie » est la réponse faite plusieurs fois à quelle célèbre question de *La Barbe bleue* de Perrault ?

- « Anne, ma sœur Anne, ne vois-tu rien venir ? »
- « Chérie, tu vois quelque chose ? »
- « Ma sœur, rien de nouveau ? »

8. Ce personnage de Jules Romains dit : « Est-ce que ça vous chatouille, ou est-ce que ça vous gratouille ? » Qui est-il ?

- Snock
- Knock
- Mock

9. Chez Bernardin de Saint-Pierre, jamais Paul sans…

- … Philippine
- … Stéphanie
- … Virginie

10. Comment s'appelle l'héroïne d'*Autant en emporte le vent* de Margaret Mitchell ?

- Margaret Wind
- Scarlett O'Hara
- Samantha Lew

11. Dans ce recueil d'Alphonse Daudet, on lit notamment « La Chèvre de M. Seguin ». Quel est son titre ?

- *Les Lettres de mon moulin*
- *Les Aventures de M. Seguin*
- *Les Lettres du village*

12. Chez Collodi, jamais Pinocchio sans…

- … Geppetto
- … Bonifacio
- … Consuelo

13. Comment s'appelle l'épée de Roland dans *La Chanson de Roland* ?

- Excalibur
- L'épée de vérité
- Durandal

14. Chez Gustave Flaubert, jamais Bouvard sans…

- … Pécuchet
- … Plume
- … Rodrigue

15. Chez Henri-Pierre Roché, jamais Jules sans…

- … Julien
- … Jim
- … Julia

16. Chez Jean de La Fontaine, « Le loup et l'agneau », « Le corbeau et le…

- … hibou »
- … rat »
- … renard »

17. Comment se prénomme le petit héros créé par Jean-Jacques Sempé et René Goscinny ?

- Maurice
- Paul
- Nicolas

18. Dans *La Peau de chagrin,* quel rôle Honoré de Balzac attribue-t-il à cette fameuse peau ?

- Réaliser les désirs de Raphaël
- Éviter à Raphaël de pleurer
- Rendre Raphaël immortel

19. Dans *Le Bourgeois gentilhomme,* Molière invente un titre honorifique dont Monsieur Jourdain se vante auprès de sa femme. Quel est ce mot qui depuis désigne ironiquement un haut fonctionnaire ?

- Chamounili
- Mamoulilou
- Mamamouchi

20. Dans *Les Mille et Une Nuits,* quelle formule magique permet d'ouvrir la caverne d'Ali Baba ?

- « Abracadabra »
- « Sésame ouvre-toi »
- « Fiat lux »

21. Dans *Le Cid* de Pierre Corneille, jamais Chimène sans...

- ... Rodrigue
- ... Paul
- ... Diego

22. Dans quelle ville de France le poète Jacques Prévert a-t-il rencontré la « Barbara » de son poème ?

- Paris
- Brest
- Toulouse

23. Quel est le grade de Nemo, le héros de *Vingt Mille Lieues sous les mers* de Jules Verne ?

- Capitaine
- Sergent
- Marin

24. De quel animal Jean de La Fontaine dit-il : elle « n'est pas prêteuse, c'est là son moindre défaut » ?

- La chenille
- La souris
- La fourmi

25. Dans une des *Histoires comme ça*, « Le gosier de la baleine », Rudyard Kipling raconte qu'un marin sur son radeau est avalé par une baleine. De quel mythe s'inspire cette histoire ?

- Le Déluge
- Le mythe de Jonas
- Le mythe d'Icare

26. Jamais Tristan sans... ?

- ... Iseut
- ... Aseult
- ... Yvonne

27. Pourquoi le double de Jules Renard, François Lepic, dont la phrase favorite est « Tout le monde ne peut pas être orphelin », est-il appelé « Poil de Carotte » ?

- Parce qu'il ne mange que des carottes
- Parce qu'il est très maigre
- Parce qu'il est roux

28. Quel futur prix Nobel de littérature a dit à son peuple en 1940 : « Je n'ai rien à offrir que du sang, du labeur, des larmes et de la sueur » ?

- Pablo Neruda
- Bertrand Russell
- Winston Churchill

29. Quel est l'ennemi juré de Sherlock Holmes ?

- L'inspecteur Harry
- Le professeur Moriarty
- Docteur No

30. Quand se passe *La guerre du feu* de J.-H. Rosny Aîné ?

- Durant la préhistoire
- Au moment de la révolution industrielle
- Pendant la canicule de 2003

31. Quel est le handicap du pirate Long John Silver, dans *L'Île au trésor* de Robert Louis Stevenson ?

- Il est borgne
- Il a une jambe de bois
- Il est muet

32. Quelle est la nationalité d'Alberto Moravia ?

- Portugaise
- Brésilienne
- Italienne

33. Quel est le nom du sous-marin de *Vingt Mille Lieues sous les mers* de Jules Verne ?

- Le *Nautilus*
- *The Yellow Submarine*
- Le *Monstre des mers*

34. Qui a écrit : « Dessine-moi un mouton » ?

- Max Jacob
- Antoine de Saint-Exupéry
- Alphonse Allais

35. Qui raconte des histoires au sultan pendant mille et une nuits pour ne pas être décapitée ?

- Salomé
- Shéhérazade
- Judith

36. Sur son île, créée par H. G. Wells, vivent des mutants, mi-hommes mi-bêtes, à qui on interdit les comportements animaux. Qui est le propriétaire de cette île ?

- Le comte Sureau
- Monsieur de Magny
- Le docteur Moreau

37. « Ces curieux romans en zinc, qui semblent voués à je ne sais quelle assomption du réverbère, de la lampe pigeon et du bouton de guêtre » : à votre avis, qu'évoque Julien Gracq en ces termes ?

- Les romans d'André Malraux
- Le Nouveau Roman
- Les romans d'Amélie Nothomb

38. « À nous deux maintenant ! » : quel héros d'Honoré de Balzac prononce cette phrase à la fin du *Père Goriot* en regardant Paris depuis la colline du Père-Lachaise ?

- Lucien de Rubempré
- Raphaël de Valentin
- Eugène de Rastignac

39. « La guerre, c'est la paix », « La liberté, c'est l'esclavage », « L'ignorance, c'est la force ». En quelle langue inventée par George Orwell dans *1984* ont été écrits ces slogans ?

- En esperanto
- En sanskrit
- En novlangue

40. « Une bouche en fer à cheval. Le menton fourchu. Un œil gauche obstrué d'un sourcil roux en broussaille. Un œil droit disparaissant entièrement sous une énorme verrue. » Qui Hugo décrit-il ?

- Claude Gueux
- Quasimodo
- Un chien

41. « Vous êtes, Monseigneur, superbe et généreux » : cette phrase, prononcée par Mademoiselle Mars en 1830 lors de la création d'*Hernani*, n'a pourtant jamais été écrite par Victor Hugo. Quel est le vers original ?

- « Vous êtes mon lion, superbe et généreux ! »
- « Vous êtes mon amour superbe et généreux ! »
- « Vous êtes mon champion, superbe et généreux »

42. « Madame se meurt, Madame est morte. » Tout le monde connaît cette oraison funèbre de Bossuet, mais de qui parle-t-il ?

- De Catherine de Médicis
- D'Henriette d'Angleterre
- D'Anne d'Autriche

43. Trois indices pour trouver ce personnage : commandeur, tabac, Sganarelle. C'est ?

- Figaro
- Godot
- Dom Juan

44. « Et au plus élevé trône du monde, si ne sommes assis que sur notre cul » : à quel écrivain du XVIe siècle doit-on cette sentence bien sentie ?

- François Rabelais
- Michel de Montaigne
- Théophile de Viau

45. Trois personnages ont le même compagnon : Marguerite chez Boulgakov, Jacques le fataliste chez Diderot et le valet Matti chez Brecht. Qui est-il ?

- Le valet
- Le chien
- Le maître

46. « Je forme une entreprise qui n'eut jamais d'exemple. » Quel auteur du XVIIIe siècle qualifie ainsi son « entreprise » autobiographique dans son incipit ?

- Jean-Jacques Rousseau
- Saint-Simon
- Voltaire

47. À quinze ans, ce lycéen écrit une charge contre son professeur de physique. En 1896, la pièce fait scandale mais renouvelle le théâtre avec son tyran absurde. Retrouvez cet auteur et sa pièce.

- *La Cassette* d'Eugène Labiche
- *Ubu Roi* d'Alfred Jarry
- *Un fil à la patte* de Georges Feydeau

48. « Le nez de Cléopâtre, s'il eût été plus court, toute la face de la terre aurait changé. » De qui est cette phrase ?

- Jean de La Bruyère
- Astérix
- Blaise Pascal

49. À part l'Europe, sur quels continents se passe *Voyage au bout de la nuit* de Céline ?

- L'Asie et l'Amérique
- L'Afrique et l'Amérique
- L'Océanie et l'Asie

50. Cette réplique : « N'ai-je pas averti Votre Grâce que c'étaient des moulins à vent ? » s'adresse :

- Au comte Almaviva
- À Don Quichotte
- À Oreste

51. « Très cher père, tu m'as demandé récemment pourquoi je prétends avoir peur de toi. » Qui commence ainsi sa *Lettre au père* ?

- Henri Barbusse
- Franz Kafka
- Paul Verlaine

52. À quel jeu, considéré en Russie comme un sport, le personnage de *La défense Loujine* de Vladimir Nabokov excelle-t-il ?

- Aux échecs
- Au tarot
- Au bridge

53. Quel est le célèbre héros créé par J. K. Rowling ?

- Tintin
- Harry Potter
- Fantomas

54. Deux indices pour trouver cet auteur : il porte le prénom d'un personnage de Jean-Jacques Rousseau et, si c'était un journal, ce serait *L'Aurore.*

- Émile Ajar
- Émile Verhaeren
- Émile Zola

55. À qui Stendhal dédie-t-il *La Chartreuse de Parme* ?

- À sa mère
- À Dieu, qui voit tout
- Aux happy few

56. Trois indices pour trouver cet auteur : Venise, Femmes, Joyaux. C'est ?

- Michel Braudeau
- Philippe Sollers
- Pascal Quignard

57. Avec quel personnage, célèbre pour ses moutons, Pantagruel, dans le roman de François Rabelais, se lie-t-il d'une amitié indéfectible ?

- Gargantua
- Panurge
- Moutonnier

58. Ce personnage shakespearien a trois filles dont la préférée est Cordélia. De qui s'agit-il ?

- Le roi Lear
- Le père d'Hamlet
- Falstaff

59. À Croisset, Gustave Flaubert avait l'habitude de réciter à voix haute les textes qu'il venait d'écrire. Quel était le nom de la pièce réservée à cet usage ?

- Le hurloir
- Le crioir
- Le gueuloir

60. Ce savant grec et son *Traité des corps flottants* ont inspiré à Mehdi Charef le titre de son roman, *Le thé au harem d'Archi Ahmed* : de quoi s'agit-il ?

- Boire du thé fait léviter
- Le théorème d'Archimède
- Avoir un harem est bon pour la santé

61. Ces personnages de roman, Tibert, Rodilardus, Rrou et Alphonse, ont une particularité, laquelle ?

- Ce sont des chiens
- Ce sont des lapins
- Ce sont des chats

62. À quel romancier contemporain doit-on le scénario du film de Louis Malle *Lacombe Lucien* ?

- Patrick Modiano
- Michel Schneider
- Daniel Pennac

63. Ces œuvres de Marguerite Duras évoquent sa jeunesse indochinoise, sauf une. Laquelle ?

- *Un barrage contre le Pacifique*
- *L'amant*
- *Le ravissement de Lol V. Stein*

64. Achevez ces vers d'Alfred de Musset : « Les plus désespérés sont les chants les plus beaux / Et j'en sais d'immortels qui sont de purs…

- … cadeaux »
- … sanglots »
- … tableaux »

65. Comment appelle-t-on les contes en vers de caractère comique inventés au Moyen Âge ?

- Les fabliaux
- Les fablettes
- Les fabliades

66. Albert Cohen et Marcel Pagnol furent camarades, mais où ?

- Au régiment
- En classe
- Au Parti communiste

67. Quel nom Don Quichotte, dans le roman de Miguel de Cervantès, a-t-il donné à son cheval ?

- Rosande
- Rossinette
- Rossinante

68. André Gide n'a pas écrit sur un de ces pays. Lequel ?

- La Chine
- L'URSS
- Le Congo

69. Avec quel autre auteur André Breton publia-t-il *Les champs magnétiques* ?

- Philippe Soupault
- Paul Éluard
- Louis Aragon

70. Comment se manifeste le père de Hamlet, dans la pièce de William Shakespeare du même nom ?

- On entend seulement sa voix
- Son fantôme apparaît
- Il a le dernier mot de la pièce

71. Avec quoi ne badine-t-on pas chez Alfred de Musset ?

- La mort
- L'amour
- Les cœurs

72. Compléter ce vers de Pierre Corneille dans *Suréna,* célèbre pour sa parfaite harmonie : « Toujours aimer, toujours souffrir, toujours…

- … pâtir »
- … languir »
- … mourir »

73. Comment Jean-Paul Sartre surnommait-il Simone de Beauvoir ?

- La Loutre
- L'Écureuil
- Le Castor

74. Complétez ces vers de Guillaume Apollinaire : « Elle avait un visage aux couleurs de la France / Les yeux bleus les dents blanches et les lèvres…

- … rouges »
- … carmin »
- … bordeaux »

75. Chez Maurice Maeterlinck, jamais Pelléas sans…

- … Brocéliande
- … Mélisande
- … Calixtine

76. Comment s'appelait l'amante de Dante, célébrée dans son œuvre ?

- Laure
- Hélène
- Béatrice

77. Complétez le vers d'Arthur Rimbaud tiré du « Dormeur du val » : « Il dort dans le soleil, la main sur la poitrine / Tranquille, il a…

- … un portefeuille bien rempli »
- … deux trous rouges au côté droit »
- … dans son rêve un baiser aux lèvres »

78. Chez qui Truman Capote prend-il le petit déjeuner ?

- Chez Maud
- Chez Tiffany
- Chez Lucie

79. Comment s'appelle le chant écrit pour la Résistance par Joseph Kessel et Maurice Druon en 1943 ?

- Le *Chant des partisans*
- Le *Chant des résistants*
- Le *Chants des patriotes*

80. Corrigez la citation de Marcel Proust, phrase inaugurale d' *À la recherche du temps perdu* :

« Longtemps, je me suis levé de bonne heure. »

81. Chez Stevenson, jamais Jekyll sans…

- … Sayril
- … Gray
- … Hyde

82. Complétez ce constat d'Honoré de Balzac : « Il est aussi facile de rêver un livre qu'il est difficile de le…

- … créer »
- … faire »
- … lire »

83. Dans *Aurélia*, Gérard de Nerval affirme que le « rêve est… ?

- … une évasion »
- … une seconde vie »
- … une porte d'ivoire »

84. Comment s'appelle l'héroïne de la pièce d'Alexandre Dumas fils *La Dame aux camélias* ?

- Marguerite Gautier
- Jeanne de Miromé
- Agnès Leclairant

85. Complétez ces vers d'Edmond Rostand : « C'est un roc, c'est un pic, c'est un cap, / Que dis-je ? c'est un cap, c'est…

- une presqu'île… »
- une falaise… »
- une péninsule… »

86. Dans *Belle du seigneur* d'Albert Cohen, où travaille Solal ?

- Au palais de l'Élysée
- À la Société des Nations
- À la SNCF

87. Comment s'appelle l'héroïne de *Maison de poupée* d'Henrik Ibsen ?

- Bibi Andersson
- Liv Ullmann
- Nora Helmer

88. Complétez cette citation de Jean-Paul Sartre : « L'enfer, c'est…

- … elle »
- … toi »
- … les autres »

89. Comment s'appelle la fiancée de Faust dans la pièce du même nom écrite par Goethe ?

- Lotte
- Kate
- Marguerite

90. Complétez cette épigramme de Voltaire : « L'autre jour, au fond d'un vallon, / Un serpent piqua Jean Fréron. / Que pensez-vous qu'il arriva ? / Ce fut le serpent qui…

- … creva »
- … chanta »
- … râla »

91. Comment s'appelle le chat noir du baron de Sigognac dans *Le Capitaine Fracasse* de Théophile Gautier ?

- Minou
- Belzébuth
- Baghera

92. Complétez cette phrase d'André Breton dans *Nadja* : « La beauté sera… ou ne sera pas. »

- explosive
- déceptive
- convulsive

93. Dans *L'écume des jours* de Boris Vian, quelle chose inattendue pousse dans les poumons de Chloé et l'empêche de respirer ?

- Une marguerite
- Une algue
- Un nénuphar

94. Comment s'appelle le dandy, personnage central d'*À rebours* de Joris-Karl Huysmans ?

- Des Esseintes
- Dorian Gray
- George Brummell

95. Complétez le dernier vers du poème « Harmonie du soir » de Baudelaire : « Ton souvenir en moi luit…

- … comme un nonchaloir »
- … comme un ostensoir »
- … comme l'air du soir »

96. Dans *La Curée* de Zola, Renée Saccard tombe amoureuse de son beau-fils, Maxime, situation qui rappelle une tragédie de Racine, laquelle ?

- Bérénice
- Phèdre
- Andromaque

97. Comment s'appelle le héros de *Voyage au bout de la nuit* de Louis-Ferdinand Céline ?

- Bardamu
- Barpmu
- Baradamu

98. Dans *La dame dans l'auto avec des lunettes et un fusil* de Sébastien Japrisot, Dany Longo quitte Paris dans une Thunderbird blanche et décide d'aller voir la mer. Quelle direction prend-elle ?

- Le sud
- L'ouest
- Le nord

99. Comment se nomme l'héroïne de *La vie devant soi* d'Émile Ajar ?

- Madame Irma
- Madame Flora
- Madame Rosa

100. Quelle est la célèbre phrase d'André Gide extraite des *Nourritures terrestres,* et transcrite par erreur « Familles, je vous aime » :

- « Familles, je vous respecte »
- « Familles, je vous adore »
- « Familles, je vous hais »

101. Dans ce roman de 2000, Griet est engagée comme servante dans la maison de Vermeer. Comment Tracy Chevalier l'appelle-t-elle dès le titre de son roman ?

- La liseuse
- La jeune fille à la perle
- Le dentelière

102. Dans laquelle de ces « affaires » Voltaire n'est-il pas intervenu?

- Le chevalier de La Barre
- Le collier de la reine
- Calas

103. Dans *Le Cid*, ils n'étaient que cinq cents en partant, mais combien furent-ils en arrivant au port ? « Nous partîmes cinq cents, mais par un prompt renfort,

- Nous nous vîmes trois mille en arrivant au port. »
- Nous nous vîmes trois cents en arrivant au port. »
- Nous nous vîmes cinq cents en arrivant au port. »

104. Dans *Ensemble, c'est tout* d'Anna Gavalda, quelle est la passion de la jeune Camille ?

- La musique
- Le dessin
- Le macramé

105. Dans quel(s) genre(s) littéraire(s) Boris Pasternak s'est-il exprimé ?

- Le roman
- Les deux genres
- La poésie

106. Dans le roman d'Herman Melville, le capitaine Achab poursuit Moby Dick. Mais que désigne Moby Dick ?

- Une baleine blanche
- Un requin
- Un poulpe

107. Dans *L'Abyssin* de Jean-Chistophe Rufin, quelle profession exerce le héros, Jean-Baptiste Poncet ?

- Apothicaire
- Caravanier
- Tisserand

108. De quel personnage historique important Marguerite de Navarre, auteure du XVIe siècle, est-elle la sœur ?

- Henri IV
- François Ier
- Charles d'Orléans

109. Dans le roman de Gustave Flaubert, après avoir failli appeler sa fille Galsuinde, Yseult, Léocadie, Louisa, Atala ou Amanda, quel prénom choisit finalement Emma Bovary ?

- Sandy
- Berthe
- Vanessa

110. Dans l'adaptation cinématographique d'Yves Robert de *La guerre des boutons* d'après Louis Pergaud, qui dit : « Si j'aurais su, j'aurais pas venu ! » ?

- Petit Gibus
- Le Petit Nicolas
- Poil de Carotte

111. De quelle pièce de Beaumarchais s'inspire Lorenzo Da Ponte pour écrire le livret des *Noces de Figaro*, mis en musique par Mozart ?

- *Le Barbier de Figaro*
- *Les Fiançailles de Figaro*
- *Le Mariage de Figaro*

112. Dans *Le Rouge et le Noir* de Stendhal, pour quelle raison Julien Sorel franchit-il le seuil de la maison des Rênal ?

- Pour des questions de menuiserie
- Pour devenir le précepteur de leurs enfants
- Pour faire la cour à Mme de Rênal

113. Dans *L'Illusion comique* de Pierre Corneille, quel est le nom du militaire vantard et poltron ?

- Matamore
- Géronte
- Pridamant

114. De quelle poétesse du XVIe siècle est le vers « Je vis, je meurs, je me brûle et me noie » ?

- Pernette du Guillet
- Louise Labé
- Madeleine de Scudéry

115. Dans *Les faux-monnayeurs* d'André Gide, quel est le titre du roman que prépare Édouard ?

- « Les Faux-Monnayeurs »
- « Le Passauvant »
- « L'Abîme »

116. Dans *La Cousine Bette*, Honoré de Balzac raconte les déboires du baron Hulot pris en flagrant délit d'adultère. De quel écrivain célèbre s'est-il inspiré ?

- Jean-Jacques Rousseau
- Rabelais
- Victor Hugo

117. De qui parle Michel de Montaigne quand il écrit à propos de l'amitié « parce que c'était lui, parce que c'était moi » ?

- Charles de La Boétie
- Étienne de La Boétie
- André de La Boétie

118. Dans *Les Liaisons dangereuses* de Choderlos de Laclos, comment Mme de Merteuil finit-elle ?

- Elle attrape la vérole
- Elle est empoisonnée
- Elle est emprisonnée

119. Dans quelle île Victor Hugo n'a pas été exilé ?

- Guernesey
- Wight
- Jersey

120. Dans les *Mémoires d'Hadrien*, à qui Marguerite Yourcenar fait-elle prendre la plume ?

- Un dandy de la fin du XIXe siècle
- Un empereur romain
- Un duc florentin

121. Elle est la sœur de Lili Brik, l'amie de Vladimir Maïakovski, la femme de Louis Aragon et la lauréate du prix Goncourt 1944. De qui s'agit-il ?

- Elsa Triolet
- Misia Godebska
- Lou

122. Goethe aurait-il pu rencontrer Montesquieu ?

123. Dans *Les mots*, le petit Jean-Paul Sartre est conduit par son grand-père chez le coiffeur pour la première fois. Que découvre-t-il alors ?

- Sa méchanceté
- Sa laideur
- Sa petite taille

124. Dans *Le Tour du monde en quatre-vingts jours* de Jules Verne, qui est Passepartout ?

- Le serviteur français du héros
- Le barman du club
- Un voleur

125. Guillaume Apollinaire fut suspecté d'avoir volé un tableau. Lequel ?

- Rolla
- La Joconde
- Le Cri

126. Dans *Lysistrate* d'Aristophane, les femmes forcent les hommes à mettre fin à la guerre qui ravage la Grèce en refusant de quoi faire ?

- La cuisine
- Le ménage
- L'amour

127. Dans *Les contes du chat perché* de Marcel Aymé, comment se prénomment les deux héroïnes ?

- Martine et Colette
- Delphine et Marinette
- Marceline et Jeannette

128. Gustave Flaubert condense ainsi la vie de son personnage, Frédéric : « Il voyagea, il connut la mélancolie des paquebots, les froids réveils sous la tente, l'étourdissement des paysages et des ruines, l'amertume des sympathies interrompues. » Mais dans quel roman ?

- *L'Éducation sentimentale*
- *Salammbô*
- *La Tentation de Saint-Antoine*

129. Dans quel roman de Charles Dickens prédit-on au jeune héros qu'il finira au gibet, pour avoir redemandé du bouillon au réfectoire de son orphelinat ?

- *Poil de Carotte*
- *Les Aventures d'Oliver Twist*
- *L'Enfant*

130. Dans *Les Petites Filles modèles* de la comtesse de Ségur, la jeune héroïne, Sophie, est élevée par sa belle-mère. Quel est son nom ?

- Mme Fichini
- La mère Tape-dur
- Mme Rostopchine

131. Il a inventé Mondo, l'enfant-poète, bohème et solitaire, qui erre de ville en ville. De qui s'agit-il ?

- Romain Gary
- J.-M. G. Le Clézio
- Michel Tournier

132. Dans *Macbeth* de William Shakespeare, quel geste compulsif Lady Macbeth effectue-t-elle ?

- Se laver les mains
- Se racler la gorge
- Hocher la tête

133. Jean-Paul Sartre et Simone de Beauvoir, Paul et Nush Éluard, Louis Aragon et… ?

- Lou
- Elsa Triolet
- Virginie Lespasse

134. Dans quelle œuvre de l'auteure danoise Karen Blixen l'héroïne cuisine-t-elle des cailles en sarcophage ?

- *La femme africaine*
- *La soirée d'Elseneur*
- *Le dîner de Babette*

135. Dans quel roman apparaît le personnage de Noble le lion ?

- *Le Chevalier de la charrette*
- *Le Roman de la rose*
- *Le Roman de Renart*

136. La comtesse de Ségur, Nathalie Sarraute et Romain Gary ont la même origine, laquelle ?

- Polonaise
- Russe
- Allemande

137. Dans quel roman Marie NDiaye décrit-elle le combat pour la dignité de Norah, Fanta et Khady Demba ?

- *Trois femmes puissantes*
- *Trois femmes de dignité*
- *Trois femmes de pouvoir*

138. Lequel de ces écrivains n'était pas médecin ?

- Louis-Ferdinand Céline
- Julien Gracq
- Mikhaïl Boulgakov

139. Dans quelle œuvre d'un grand auteur né à Prague Joseph K. se fait-il arrêter dans des conditions kafkaïennes ?

- *Le château*
- *Le procès*
- *L'Amérique*

140. Dans quoi le narrateur d'*À la recherche du temps perdu* trempe-t-il sa madeleine ?

- De la tisane
- Du café
- Du thé

141. Lequel de ces noms ne fut pas employé comme pseudonyme par Alexis Leger ?

- Saintleger Leger
- Saintleger Perse
- Saint-John Perse

142. Dans une pièce d'Eugène Ionesco, en quel animal M. et Mme Bœuf, victimes d'une épidémie, se transforment-ils ?

- En poules
- En singes
- En rhinocéros

143. Dans quelle pièce Jean Cocteau redonne-t-il vie à Œdipe, Antigone, Jocaste et Créon en 1934 ?

- *Œdipe le maudit*
- *La machine infernale*
- *Fatalité !*

144. De Prosper Mérimée à Georges Bizet, j'enflamme les hommes. Qui suis-je ?

- Nana
- Carmen
- Chimène

145. Dans quelle région arrive René dans *Atala*, le roman de Chateaubriand ?

- La Cappadoce
- La Patagonie
- La Louisiane

146. Lewis Carroll, auteur d'*Alice au pays des merveilles*, fut professeur de mathématiques, mais où ?

- À Londres
- À Oxford
- À Cambridge

147. Dans *Tartuffe* de Molière, quel remède Tartuffe propose-t-il à Elmire pour calmer sa toux ?

- Un caramel mou
- Un bonbon au miel
- Du jus de réglisse

148. De quel handicap physique souffre l'héroïne d'*Un long dimanche de fiançailles*, créée par Sébastien Japrisot ?

- Elle est aveugle
- Elle est sourde
- Elle boite

149. Où Guillaume Apollinaire a-t-il été blessé pendant la Première Guerre mondiale ?

- À la tête
- À la jambe
- À l'épaule

150. De qui d'Artagnan est-il amoureux dans *Les Trois Mousquetaires* ?

- Milady de Winter
- Constance Bonacieux
- Anne d'Autriche

151. Où se situe, dans *À la recherche du temps perdu*, la maison de la tante Léonie où Marcel Proust passait des vacances, étant enfant ?

- À Illiers-Combray
- À Cabourg
- En banlieue parisienne

152. De quel cinéaste, très apprécié par Renée, la concierge de *L'élégance du hérisson*, est parent le nouvel habitant japonais de l'immeuble ?

- Kurozawa
- Kitano
- Ozu

153. Duquel de ces saints chrétiens Gustave Flaubert n'a-t-il jamais fait le personnage d'un de ses récits ?

- Julien
- Paul
- Antoine l'Ermite

154. Où Voltaire doit-il s'exiler après avoir été embastillé ?

- En Angleterre
- En Suisse
- Au Portugal

155. De quel fait divers est tiré le roman d'Emmanuel Carrère, *L'adversaire* ?

- L'affaire Grégory
- L'affaire Romand
- L'affaire Dominici

156. En 1723, Marivaux écrit *Arlequin poli par l'amour*. De quelle origine est ce personnage ?

- Espagnole
- Portugaise
- Italienne

157. Outre son métier d'écrivain, quelle profession Paul Claudel exerça-t-il ?

- Ministre
- Imprimeur
- Diplomate

158. En 2004, pour quel roman Irène Némirovsky reçoit-elle, à titre posthume, le prix Renaudot ?

- *Le Bal*
- *Suite française*
- *Chaleur du sang*

159. En 1927, elle a tenté d'empoisonner son mari et prépare sa confession dans le train qui la reconduit chez elle. Comment l'a appelée François Mauriac ?

- Thérèse Desqueyroux
- Thérèse Raquin
- Thérèse Leroux

160. Pendant la représentation de quelle pièce Molière est-il pris de convulsions dont il mourra quelques heures plus tard ?

- *Le Misanthrope*
- *L'Avare*
- *Le Malade imaginaire*

161. Goethe conta mes souffrances de jeunesse, Jules Massenet chanta mon désespoir. Qui suis-je ?

- Werther
- Lucien
- Jules

162. Prix Nobel de littérature en 1988, Naguib Mahfouz a quelle nationalité ?

- Égyptienne
- Turque
- Algérienne

163. En quelle langue le poème « Mireille » de Frédéric Mistral a-t-il été écrit ?

- En provençal
- En français
- En occitan

164. Jacques Brel, Jean Rochefort et Peter O'Toole ont incarné ce héros de roman au cinéma. De qui s'agit-il ?

- Werther
- Don Quichotte
- Ulysse

165. Que s'écrie la comtesse de Vercellis au moment de mourir devant le jeune Jean-Jacques Rousseau dans ses *Confessions* ?

- « Au diable les varices et les varicieux ! »
- « Femme qui pète n'est pas morte ! »
- « Va, je ne te hais point mon bonhomme ! »

166. Ernest Hemingway a écrit *Mort dans l'après-midi* en 1951 en l'honneur d'une pratique très controversée. Laquelle ?

- Le tir aux pigeons
- Le nudisme
- La tauromachie

167. Quel amant de George Sand, faisant allusion à deux personnages qu'il avait créés, lui a dit : « Il y avait en moi deux hommes, tu me l'as dit souvent, Octave et Cœlio » ?

- Alfred de Musset
- Jules Sandeau
- Frédéric Chopin

168. Gérard de Nerval, dans un sonnet célèbre, déclare « Je suis le ténébreux, le veuf, l'inconsolé…

- … Le prince de Bretagne et de mélancolie »
- … Le prince d'Aquitaine à la Tour abolie »
- … J'ai plus de souvenirs que si j'avais mille ans »

169. Quel auteur a imaginé « la rencontre fortuite sur une table de dissection d'une machine à coudre et d'un parapluie » ?

- Le professeur Barnard
- Tristan Tzara
- Lautréamont

170. Il n'y a pas de jumeaux dans l'un de ces romans. Lequel ?

- *Les météores* de Michel Tournier
- *Double vie* de Pierre Assouline
- *La Petite Fadette* de George Sand

171. La Comtesse de Ségur s'est faite mémorialiste le temps d'un livre. De qui a-t-elle transcrit les souvenirs ?

- D'un âne
- D'un niais
- D'un sot

172. Quel auteur du XVIe siècle demande à son lecteur de « rompre l'os et sucer la substantifique moelle » de son œuvre ?

- François Rabelais
- Théodore Agrippa d'Aubigné
- Michel de Montaigne

173. *La disparition* de Georges Perec ne comporte aucun « e », lettre la plus utilisée de la langue française. À quelle lettre les traducteurs espagnols ont-ils renoncé ?

- Le « i »
- Le « a »
- Le « o »

174. La jeune ingénue des *Liaisons dangereuses* porte le même prénom que l'héroïne de *Bonjour tristesse* de Françoise Sagan. Quel est-il ?

- Laure
- Marie
- Cécile

175. Quel auteur étranger a reçu en 2010 le prix Nobel de littérature ?

- Mario Vargas Llosa
- Philip Roth
- Imre Kertész

176. La douane de mer, où commence le roman du même titre de Jean d'Ormesson, évoque une ville européenne très aimée des écrivains. Laquelle ?

- Berlin
- Venise
- Rome

177. Laquelle de ces aristocrates ne figure pas dans l'œuvre de Marcel Proust ?

- La marquise de Cambremer
- La duchesse de Langeais
- La duchesse de Guermantes

178. Quel écrivain américain d'origine russe, auteur de *Lolita*, a découvert deux espèces de papillons dont l'une porte son nom ?

- Vladimir Nabokov
- Isaac Asimov
- William Faulkner

179. Par quelle image désigne-t-on le père Goriot ?

- Le père sacrifié
- Le Christ de la modernité
- Le Christ de la paternité

180. Quel écrivain célèbre aurait déclaré vouloir « être Chateaubriand ou rien » ?

- Alfred de Musset
- Victor Hugo
- Alphonse de Lamartine

181. Le nom de cette qualité vient du terme latin signifiant « lumière » et René Char disait d'elle qu'elle est « la blessure la plus proche du soleil ». Quelle est-elle ?

- La luminosité
- La luciole
- La lucidité

182. Pour Victor Hugo, je suis *L'homme qui…* ?

- … *pleure*
- … *rit*
- … *crie*

183. Quel écrivain contemporain a repris par deux fois à son compte l'histoire de Robinson Crusoé ?

- Michel Tournier
- Georges Bernanos
- Julien Gracq

184. Le père de Philippe Forest exerçait une profession qui a inspiré le personnage principal du *Siècle des nuages*. Quelle est-elle ?

- Climatologue
- Pilote de ligne
- Peintre

185. Quel est le dernier vers de la fable de Jean de La Fontaine « La Cigale et la Fourmi » ?

- … Eh bien ! dansez maintenant »
- … Eh bien ! chantez maintenant »
- … Eh bien ! mangez maintenant »

186. Le premier mot de ce roman fameux du XXe siècle est prononcé par Gabriel, excédé : « Doukipudonktan ». Quel est ce roman ?

- *Ubu roi* de Jarry
- *L'arrache-cœur* de Vian
- *Zazie dans le métro* de Queneau

187. Qu'a de particulier le mouton qui plaît tant au Petit Prince d'Antoine de Saint-Exupéry ?

- Il est dans une boîte
- Il a cinq pattes
- Sa laine est dorée

188. Quel est le prénom de l'écrivain Colette ?

- Claudine
- Sidonie-Gabrielle
- Colette

189. Le titre du roman de Pascal Quignard, *Tous les matins du monde*, est tiré d'une des phrases du roman. Comment se termine-t-elle ? « Tous les matins du monde…

- … sont sans retour »
- … sont trop courts »
- … sont sans amour »

190. Que fait Mlle de Maupin, l'héroïne de Théophile Gautier, pour connaître les hommes ?

- Elle entre dans l'armée
- Elle se travestit en homme
- Elle se marie

191. Quel était le métier du père de Molière ?

- Boulanger
- Acteur
- Tapissier

192. *Le Ventre de Paris* d'Émile Zola : son titre désignait métaphoriquement un quartier de Paris. Lequel ?

- La Goutte d'or
- Passy
- Les Halles

193. Quel animal d'une fable de Jean de La Fontaine sauve un lion pris dans des rets ?

- Un rat
- Une souris
- Une araignée

194. Quel était le prénom de Barbey d'Aurevilly, l'auteur des *Diaboliques* ?

- François
- Jules
- Charles

195. Lequel de ces personnages le Petit Prince de Saint-Exupéry ne croise pas ?

- Un sculpteur d'étoiles
- Un allumeur de réverbères
- Un géographe

196. Quel célèbre personnage historique a inspiré un drame à Victor Hugo ?

- Mona Lisa
- Élisabeth Ire d'Angleterre
- Lucrèce Borgia

197. Lequel de ces poètes n'a jamais écrit de roman ?

- Robert Desnos
- René Char
- Claude Roy

198. Quel illustrateur célèbre donna sa vision marquante des *Contes* de Perrault, édités par Hetzel ?

- Honoré Daumier
- Léon Bennett
- Gustave Doré

199. Où se déroule l'intrigue dans la pièce de Jean-Paul Sartre *Huis clos* ?

- À Paris
- En enfer
- Dans un tribunal

200. Au Moyen Âge, jamais Héloïse sans…

- … Richard
- … Abélard
- … Léonard

201. Quel nom André Malraux donna-t-il à son escadrille pendant la guerre d'Espagne ?

- España
- Republica
- Liberta

202. Où se déroule le roman de Philippe Labro, *L'étudiant étranger* ?

- Dans une université américaine
- Dans une station spatiale russe
- Dans un collège d'Oxford

203. Quel est le destinataire de la plupart des lettres de Vincent Van Gogh ?

- Son frère Théo
- Son père Hans
- Le docteur Gachet

204. Quel peintre impressionniste a fait le portrait d'Émile Zola ?

- Paul Cézanne
- Édouard Manet
- Auguste Renoir

205. Poursuivez la « Chanson d'automne » de Paul Verlaine : « Les sanglots longs / Des violons / De l'automne / Blessent mon cœur…

- … d'une douleur qui résonne »
- … d'une langueur monotone »
- … d'une lueur qui frissonne »

206. Quel est le grade de Dourakine, le personnage créé par la comtesse de Ségur en 1863 ?

- Maréchal
- Général
- Capitaine

207. Quel poète a « disloqué ce grand niais d'alexandrin » ?

- Charles Baudelaire
- Victor Hugo
- Paul Verlaine

208. Qu'est-ce qui sauve les personnages d'Anton Tchekhov de l'ennui, du malheur et de la folie ?

- La drogue
- Le travail
- Le rire

209. Quel poète déclare avec amertume, en 1865 : « La chair est triste, hélas ! et j'ai lu tous les livres » ?

- Paul-Jean Toulet
- Paul Valéry
- Stéphane Mallarmé

210. Quel est le nom d'épouse d'Ariane Corisande d'Auble, la femme aimée de Solal dans *Belle du seigneur* ?

- Dime
- Deume
- Dame

211. Quel poète du XVIIe siècle avoue prendre un « plaisir extrême » à se faire conter *Peau d'âne* ?

- Jean de La Fontaine
- Nicolas Boileau
- Jean Racine

212. Que signifie l'expression « faire catléya » pour Swann et Odette de Crécy, les personnages de Marcel Proust, dans *Du côté de chez Swann* ?

- Faire l'amour
- Faire bon ménage
- Faire une révolte

213. Quel est le nom du loup dans *Le Roman de Renart* ?

- Isambert
- Ysengrin
- Galopin

214. Quel « métier » exercent la plupart des narrateurs de Philippe Djian (*Impardonnables, Sainte-Bob, Criminels*) ?

- Agriculteur
- Musicien
- Écrivain

215. Quel est le nom du personnage de détective privé créé par Raymond Chandler et apparu pour la première fois en 1934, dans *Finger Man* ?

- Sherlock Holmes
- Hercule Poirot
- Philip Marlowe

216. Quel point commun y a-t-il entre Montaigne, Leiris et Strogoff, le personnage du roman de Jules Verne ?

- Ils sont nés dans la même ville
- Ils se prénomment Michel
- Ils meurent à quarante-trois ans

217. Quel est le patronyme de Benjamin, personnage principal de la saga romanesque de Daniel Pennac qui comprend notamment *Au bonheur des ogres* et *La fée carabine* ?

- Malaussène
- Malsaine
- Larsen

218. Quel romancier a créé le personnage de Fabrice Del Dongo ?

- Alfred de Musset
- Stendhal
- Italo Calvino

219. Quel est le patronyme des membres de la saga composée par Roger Martin du Gard ?

- Les Thibault
- Les Pasquier
- Les Rougon-Macquart

220. Quelle auteure de l'Antiquité grecque, originaire de l'île de Lesbos, les scribes chrétiens médiévaux ont-ils censurée à cause de ses amours homosexuelles ?

- Tyrtée
- Corinne
- Sappho

221. Quel est le morceau de musique que Swann entend plusieurs fois au cours d'*À la recherche du temps perdu* et qui est associé pour lui à son amour pour Odette de Crécy ?

- *La Sonate de Vinteuil*
- *La Sonate du cercueil*
- *La Sonate à Kreutzer*

222. Quel est le surnom du jeune Daniel Eyssette, personnage d'Alphonse Daudet ?

- Le petit Chose
- Le petit Untel
- Le petit Machin

223. Quel naufragé échoue sur l'île de Lilliput dans le roman de Jonathan Swift ?

- Robinson Crusoé
- Gargantua
- Gulliver

224. Quelle fut la première femme à entrer à l'Académie française ?

- Hélène Carrère d'Encausse
- Mme de Staël
- Marguerite Yourcenar

225. Quel est le nom du sport que pratiquent Harry Potter et les autres élèves de Poudlard ?

- Le volley-ball
- Le quidditch
- Le sorcelleris

226. Quel personnage a pour phrase récurrente cette devise « Je préférerais pas » ?

- Plume chez Michaux
- Bartleby chez Melville
- Zazie chez Queneau

227. Quels sont les animaux manquants dans ces vers de « Saltimbanques » de Guillaume Apollinaire : « L'… et le… animaux sages / Quêtent des sous sur leur passage » ?

- L'ours et le singe
- L'oie et le singe
- L'âne et le singe

228. Quel est le plat préféré du commissaire Maigret, surtout quand il est préparé par son épouse ?

- Le cassoulet
- La blanquette de veau
- Le pot-au-feu

229. Quel personnage ne cesse de dire « Merdre » ?

- Toinette
- Ubu
- Panurge

230. Qui a dit : « Chaque matin, dans ma tête, je tue Le Pen de toute ma force. Dès que je me réveille, je recommence à tuer. Je n'ai jamais regardé Le Pen sans avoir la mort dans les yeux » ?

- Marguerite Yourcenar
- Pierre Bourdieu
- Marguerite Duras

231. Quel grand hôtel parisien donne son titre à un livre de Pierre Assouline ?

- Le *Crillon*
- Le *Lutétia*
- Le *Georges-V*

232. Quel surnom donne Francis Scott Fitzgerald à James Gatz ?

- Gatsby le Magnifique
- Jude l'Obscur
- Battling le Ténébreux

233. Qui a dit : « Je me sers d'animaux pour instruire les hommes » ?

- Ésope
- Jean de La Fontaine
- Konrad Lorenz

234. Quel grand magasin parisien, alors nouvellement construit, a servi de modèle à Émile Zola pour *Au Bonheur des Dames* ?

- Les Grands Magasins du Louvre
- Le Bon Marché
- La Samaritaine

235. Quelle chanteuse allemande valut à Jean-Jacques Schuhl le prix Goncourt en 2000 ?

- Marlene Dietrich
- Ingrid Caven
- Nina Hagen

236. Qui a écrit « On ne naît pas femme, on le devient » ?

- Olympe de Gouges
- Elsa Triolet
- Simone de Beauvoir

237. Quel homme politique est la cible de Victor Hugo dans *Les Châtiments* ?

- Napoléon III
- Louis XIV
- Napoléon Bonaparte

238. Quelle est la profession de Nana dans le roman d'Émile Zola ?

- Cantatrice
- Blanchisseuse
- Prostituée de haut vol

239. Qui a écrit cette sentence tirée de *La ferme des animaux* : « Tous les animaux sont égaux, mais certains sont plus égaux que d'autres » ?

- Marcel Aymé
- George Orwell
- Roald Dahl

240. Quel métier exerce Rouletabille qui apparaît pour la première fois dans *Le mystère de la chambre jaune* de Gaston Leroux ?

- Reporter
- Typographe
- Paysagiste

241. Quelle profession le héros-narrateur du *Salon du Wurtemberg* de Pascal Quignard exerce-t-il ?

- Diplomate
- Musicien
- Écrivain

242. Quel roman Victor Hugo a-t-il dédié « À ceux qui travaillent, à ceux qui pensent, à ceux qui souffrent » ?

- *Notre-Dame de Paris*
- *Quatrevingt-treize*
- *Les Misérables*

243. Qui a écrit *Le bal du comte d'Orgel* ?

- Louise de Vilmorin
- Raymond Radiguet
- Paul Morand

244. Quel type de crime fonde l'intrigue des *Frères Karamazov* de Fiodor Dostoïevski ?

- L'infanticide
- Le génocide
- Le parricide

245. Qui est Athalie, dans la pièce de Jean Racine qui porte son nom ?

- Le conseiller du Prince
- Une reine cruelle
- Un prétendant au trône

246. Qui a écrit *Riquet à la houppe* ?

- Charles Perrault
- Les frères Grimm
- Andersen

247. Quelle comédie musicale américaine de Leonard Bernstein s'inspire de *Roméo et Juliette* de William Shakespeare ?

- *Peter Pan*
- *West Side Story*
- *Wonderful Town*

248. Qui est concierge au château d'Aguas-Frescas appartenant au comte Almaviva ?

- Chimène
- Gonzales
- Figaro

249. Qui a écrit *Rousseau juge de Jean-Jacques* ?

- Voltaire
- Jean-Jacques Rousseau
- Sainte-Beuve

250. Quelle est la situation de Jean Valjean au début des *Misérables* de Victor Hugo ?

- Il s'est évadé de prison
- Il sort du bagne
- Il est bûcheron

251. Quelle œuvre de l'Américain Jack Kerouac a été écrite sur un rouleau de papier formant une page unique ?

- *Sur la route*
- *Anges de la désolation*
- *Tristessa*

252. Qui est l'amant de Lady Chatterley, dans le roman de D. H. Lawrence ?

- Son palefrenier
- Son garde-chasse
- Son majordome

253. Qui a-t-on le premier sacré « Prince des poètes » ?

- Paul Fort
- Verlaine
- Pierre de Ronsard

254. Quelle phrase du *Mariage de Figaro* de Beaumarchais a été choisie comme devise du journal *Le Figaro* ?

- « Sans la liberté de blâmer, il n'est point d'éloge flatteur. »
- « Sans la liberté de flatter, il n'est point d'éloge blâmeur. »
- « Qui aime bien, châtie bien. »

255. Qui est la jeune fille en fleur qui retient l'attention du narrateur dans *À la recherche du temps perdu* de Marcel Proust ?

- Albertine
- Odette
- Mme de Guermantes

256. Qui est cet écrivain qui a présidé deux fois le Festival de Cannes et s'est éteint le même jour qu'Édith Piaf ?

- Jean Cocteau
- Roger Martin du Gard
- Georges Duhamel

257. Qui a écrit *Le Petit Poucet* ?

- Jean de La Fontaine
- Les frères Grimm
- Charles Perrault

258. Qui est l'auteur du roman *Berlin Alexanderplatz* ?

- Rainer Werner Fassbinder
- Alfred Döblin
- Hans Fallada

259. Qui a édité les *Illuminations* d'Arthur Rimbaud ?

- Rimbaud lui-même
- Paul Verlaine
- Stéphane Mallarmé

260. Qui est le directeur du FBI, héros de *La malédiction d'Edgar* de Marc Dugain ?

- Henry Ford
- Charles Manson
- John Edgar Hoover

261. Qui est l'auteur du roman médiéval *Lancelot ou Le Chevalier de la charrette* ?

- Béroul
- Chrétien de Troyes
- Marie de France

262. Qui est le narrateur de *Manon Lescaut* de l'abbé Prévost ?

- Des Forêts
- Des Grieux
- Des Esseintes

263. Qui s'engagea dans la Légion étrangère durant la Première Guerre mondiale ?

- Guillaume Apollinaire
- Maurice Maeterlinck
- Blaise Cendrars

264. Qui est la destinataire des *Poèmes à Lou* d'Apollinaire ?

- Louise de Vilmorin
- Louise de Coligny-Châtillon
- Lou Andreas-Salomé

265. Qui interprète Jacques Lantier dans l'adaptation cinématographique de *La Bête humaine* d'Émile Zola par Jean Renoir ?

- Jean Gabin
- Raimu
- Harry Baur

266. Selon la tradition, de quelle infirmité souffrait Homère ?

- Il était muet
- Il était aveugle
- Il était sourd

267. Qui n'a pas écrit de version du *Petit Chaperon rouge* ?

- Charles Perrault
- Les frères Grimm
- La comtesse de Ségur

268. Sous le règne de quel roi dont il a été l'historiographe Jean Racine a-t-il vécu ?

- Louis XIV
- Louis XIII
- Louis XV

269. Quel poète du XIXe siècle a évoqué la folie qui le menace dans le vers « Et j'ai deux fois vainqueur traversé l'Achéron » ?

- Arthur Rimbaud
- Gérard de Nerval
- Alfred de Musset

270. Qui s'est comparé, dans un alexandrin désespéré, à « un ver de terre amoureux d'une étoile » ?

- Hamlet
- Ruy Blas
- Arnolphe

271. Sous quel nom de plume Jean-Marie Arouet écrivait-il ?

- Stendhal
- Voltaire
- Molière

272. *Saga* de Tonino Benacquista raconte l'histoire de personnages qui ont un point commun, lequel ?

- Ils vivent dans un ashram
- Ils braquent des banques
- Ils écrivent des scénarios de séries télévisées

273. Qui se cache derrière l'abbé Carlos Herrera ?

- Ferragus
- Vidocq
- Vautrin

274. Sous quel pseudonyme Boris Vian publia-t-il *J'irai cracher sur vos tombes* ?

- Bison Ravi
- Vernon Sullivan
- Aimé Damour

275. Selon la leçon du professeur de *Ce que parler veut dire* de Jean Tardieu, « le coco est au rococo ce que...

- ... le roro est au rototo »
- ... le kiki est au rikiki »
- ... le lolo est au rigolo »

276. Sganarelle est le valet de Dom Juan chez Molière. Mais quel est son nom dans l'opéra de Wolfgang Amadeus Mozart ?

- Leporello
- Figaro
- Alfonso

277. Un de ses livres inspira le film *Out of Africa.* Qui est cette auteure danoise ?

- Naja Marie Aidt
- Karen Blixen
- Odette Sorensen

278. Sous quel titre le roman de Joseph Conrad, *Au cœur des ténèbres,* a-t-il été adapté au cinéma ?

- *African Queen*
- *Apocalypse now*
- *Les mines du roi Salomon*

279. Un seul de ces auteurs Gallimard n'a jamais été secrétaire général de la NRF. De qui s'agit-il ?

- Jacques Rivière
- Jean Paulhan
- Jean-Paul Sartre

280. Une seule de ces œuvres n'est pas de Nathalie Sarraute. Laquelle ?

- *Les mandarins*
- *Pour un oui ou pour un non*
- *Le planétarium*

281. Surnommé « l'éléphant de la finance », affligé d'un accent alsacien à couper au couteau, qui est le banquier de *La Comédie humaine* d'Honoré de Balzac ?

- Keller
- Nucingen
- Gobseck

282. Dans *Kaputt* et *La peau*, cet écrivain italien raconte l'Europe de la Seconde Guerre mondiale. De qui s'agit-il ?

- Curzio Malaparte
- Dino Buzatti
- Mario Praz

« VINGT FOIS SUR LE MÉTIER
REMETTEZ VOTRE OUVRAGE »

❋❋

283. Complétez : « On est laid à Nanterre, / C'est la faute à Voltaire, / Et bête à…, / C'est la faute à Rousseau. » Mais où est-on bête, selon Gavroche ?

284. Comment Oblomov passe-t-il une grande partie du roman d'Ivan Gontcharov auquel il a donné son nom ?

- Dans une salle de sport
- À la guerre
- Allongé sur son divan

285. Daphné du Maurier me créa, Joan Fontaine m'incarna sous l'œil d'Hitchcock. Qui suis-je ?

- Rebecca
- Laura
- Christina

286. Complétez cette citation de Beaumarchais, mise dans la bouche de Figaro : « Aux qualités qu'on exige dans un bon domestique, connaissez-vous beaucoup de maîtres…

- … qui aiment leurs valets ? »
- … qui fussent dignes d'être valets ? »
- … qui voudraient être valets ? »

287. Chez Dai Sijie, jamais Balzac sans…

- … Honoré
- … Flaubert
- … la petite tailleuse chinoise

288. *L'Immortel* d'Alphonse Daudet doit son nom à quel prestigieux cénacle ?

- L'Académie française
- L'Académie des belles-lettres
- L'Académie de médecine

289. Dans *Crime et châtiment* de Fiodor Dostoïevski, qui Raskolnikov assassine-t-il ?

- Une prêteuse sur gages
- Un mendiant
- Une religieuse

290. Auquel de ces personnages Oscar Wilde a-t-il consacré une de ses pièces ?

- Pénélope
- Salomé
- Iseut

291. *Le journal de Bridget Jones* est librement inspiré d'un roman d'une romancière anglaise née en 1775. De qui s'agit-il ?

- Emily Brontë
- Jane Austen
- Ann Radcliffe

292. Hanna, héroïne du *Liseur* de Bernhard Schlink, vit avec un secret. Lequel ?

- Elle est née sous X
- Elle est muette
- Elle est analphabète

293. Comment s'appelle le héros du *Passe-muraille* de Marcel Aymé ?

- Dubillard
- Dutilleul
- Duchemin

294. Comment s'appelait la première troupe de Molière, avec qui il fit une tournée de plusieurs années en province au début de sa carrière ?

- L'Illustre Comédie
- L'Illustre Troupe
- L'Illustre Théâtre

295. Dans quel pays en guerre le Dr Watson, médecin militaire et narrateur des *Aventures de Sherlock Holmes* d'Arthur Conan Doyle, a-t-il été blessé avant de revenir à Londres ?

- En Afghanistan
- En Norvège
- En Russie

296. Dans *Guerre et Paix* de Léon Tolstoï, au charme de qui succombent tous les hommes ?

- Natacha
- Anna
- Kitty

297. Quel roman se termine par cette phrase écrite en capitales : « IL AIMAIT BIG BROTHER » ?

- *Ravage* de Barjavel
- *1984* d'Orwell
- *Gros-Câlin* de Gary

298. Dans *Texaco,* Patrick Chamoiseau évoque une catastrophe naturelle qui a touché la Martinique en 1902. Laquelle ?

- Un tremblement de terre
- L'éruption volcanique de la montagne Pelée
- Une terrible sécheresse

299. Dans un de ces livres, le personnage ne se métamorphose pas en animal. Lequel ?

- *Truismes* de Marie Darrieusecq
- *Lily la tigresse* d'Alona Kimhi
- *Portrait de l'artiste en jeune singe* de Michel Butor

300. Pourquoi Griffin, inventé par H. G. Wells, porte-t-il des gants, un voile sur la tête et des lunettes noires ?

- Parce qu'il est invisible
- Pour éviter les rayons du soleil
- Parce qu'il veut être incognito

301. Dans son roman très autobiographique, Jack London s'est créé un double au nom paradisiaque. Comment l'appelle-t-il ?

- Jean Lextase
- Martin Eden
- Mario Merveille

302. « C'est l'endroit qui est nulle part. On a mis des bâtons pour empêcher d'entrer. Maintenant on est quelqu'un tous ensemble. On est quelqu'un qui attend. Quelqu'un qui regarde. » De quoi parle Claudel dans *L'échange* ?

- D'un cimetière
- D'un lycée
- Du théâtre

303. Quel est le meilleur ami de Tom Sawyer dans l'œuvre de Mark Twain ?

- David Zimmer
- Arthur Newman
- Huckleberry Finn

304. Quel poète, à l'âge de quatorze ans, a adressé une lettre en vers latins au prince impérial, fils de Napoléon III, pour sa première communion ?

- Arthur Rimbaud
- Jules Laforgue
- Charles Baudelaire

305. Qui est l'héroïne de *L'allée du roi* de Françoise Chandernagor ?

- La marquise de Pompadour
- Mme de Maintenon
- La Montespan

306. 16 juin 1904 : cette date est l'une des plus célèbres de la littérature mondiale. Pourquoi ?

- Proust achève *À la recherche du temps perdu*
- On retrouve un inédit d'Homère
- *Ulysse* de James Joyce se situe tout entier ce jour-là

307. « Je suis l'enquêteur. Je suis le témoin. Je suis la victime. Je suis l'assassin. » Mais de quoi souffre l'héroïne de *Piège pour Cendrillon* ?

- De delirium tremens
- D'amnésie
- De dyslexie

308. « Il est mécène, c'est entendu, Gaston… mais il est commerçant aussi, Gaston… » Qui est le Gaston dont parle Louis-Ferdinand Céline dans *Entretiens avec le Professeur Y* ?

- Gaston Leroux
- Gaston Defferre
- Gaston Gallimard

309. À quel événement les personnages de *Windows on the World* de Frédéric Beigbeder sont-ils associés ?

- Au tsunami de 2011 au Japon
- À l'attentat du World Trade Center, le 11 septembre 2001
- Au tremblement de terre du Chili en 2010

310. « Il y aurait une écriture du non-écrit. Un jour ça arrivera. Une écriture brève, sans grammaire, une écriture de mots seuls. Des mots sans grammaire de soutien. Égarés. Là, écrits. Et quittés aussitôt » : qui est l'auteur de cette prédiction ?

- Roland Barthes dans *Le degré zéro de l'écriture*
- Marguerite Duras dans *Écrire*
- Maurice Blanchot dans *Le livre à venir*

311. À quel personnage de la littérature aux ambitions tout aussi chimériques, la laitière de Jean de La Fontaine est-elle comparée ?

- Macbeth de Shakespeare
- Picrochole de Rabelais
- Jason d'Apollonios de Rhodes

312. « Quand tu es mort, c'est douleur que je vive. » Quel chevalier parle ainsi au cadavre de son compagnon ?

- Le chevalier de la charrette
- Lancelot
- Roland pleurant Olivier

313. À qui Michel Tournier a-t-il dédié la nouvelle *Que ma joie demeure* qui évoque un clown musicien ?

- À Jean-Sébastien Bach
- À Darry Cowl
- À sa mère

314. À trente ans, elle est infirmière de nuit, habite boulevard Saint-Michel, n'a qu'un vieil oncle pour seule famille. Comment Régis Jauffret l'appelle-t-il ?

- Madeleine Chicot
- Hortense Nicot
- Clémence Picot

315. « Tout est dit, et l'on vient trop tard depuis plus de… ans qu'il y a des hommes et qui pensent. » Selon Jean de La Bruyère, depuis combien de temps y a-t-il des hommes qui pensent ?

- 7 000 ans
- 1 600 ans
- 200 ans

316. À qui Saint-Exupéry dédie-t-il *Le Petit Prince* ?

- Léon Werth
- Albert Camus
- Jean Vilar

317. À cinq ans, Gargantua a testé des dizaines de « torche-culs » et découvert le plus doux. Lequel est-ce ?

- Un oison duveté
- Un bonnet emplumé
- Des gants parfumés

318. « Il dit à un homme qui lui montra un méchant poème où il y avait pour titre : POUR LE ROI, qu'il n'y avait qu'à ajouter : POUR SE TORCHER LE CUL. » Qui est l'auteur de cette critique pour le moins cruelle, rapportée par Tallemant des Réaux dans ses *Historiettes* ?

- Saint-Simon
- François de Malherbe
- Jean de La Fontaine

319. Comment Malcolm Lowry débute-t-il la préface qu'il écrit lui-même à son roman *Au-dessous du volcan* ?

- « Ceci n'est pas une préface »
- « Je hais les préfaces »
- « J'aime les préfaces »

320. À qui Annie Ernaux rend-elle hommage dans *La place* ?

- À sa mère
- À son père
- À ses enfants

321. « Et l'unique cordeau des trompettes marines » constitue à lui seul le poème *Chantre*. Quel poète du XXe siècle a écrit ce poème, un des plus courts de la littérature française ?

- Paul Éluard
- Guillaume Apollinaire
- Philippe Jaccottet

322. Au début de quel roman de John Steinbeck Tom Joad sort-il de prison ?

- *Les raisins de la colère*
- *Des souris et des hommes*
- *À l'est d'Eden*

323. « Mais priez Dieu que tous nous veuille absoudre ! » Quel poète répète cette supplication dans ce qu'il disait être son testament ?

- Paul Claudel
- François Villon
- Rutebeuf

324. Comment s'appelle le rival de Néron, amoureux de Junie, dans la pièce du même nom de Jean Racine ?

- Mithridate
- Horace
- Britannicus

325. Au dernier acte de la pièce de William Shakespeare, quand Juliette se suicide-t-elle ?

- Avant Roméo
- Après Roméo
- En même temps que Roméo

326. Deux indices pour trouver cet auteur : si c'était un monument, ce serait Khéops, et si c'était une ville, ce serait Marseille.

327. Auquel de ces personnages Gustave Flaubert a-t-il consacré un de ses contes ?

- Hérodias
- Ulysse
- Tarass Boulba

328. Deux indices pour trouver cet auteur : si c'était une fleur, ce serait la rose ou le réséda, et si c'était un paysan, il serait parisien.

329. Complétez les mots manquants de la première phrase de *Bouvard et Pécuchet* de Gustave Flaubert. « Comme il faisait une chaleur de... degrés, le boulevard Bourdon se trouvait absolument... »

- quelques, noir de monde
- trente-trois, désert
- vingt, inquiétant

330. D'après les *Maximes* de La Rochefoucauld, quelle passion humaine est à l'origine de beaucoup de nos comportements ?

- La haine
- Le désir
- L'amour-propre

331. Ce livre inachevé de Marcel Proust a pour titre le nom du jeune homme qui en est le personnage principal. Qui est-il ?

- Jean Santeuil
- Robert de Saint-Loup
- Sainte-Beuve

332. À quel auteur classique Jean Anouilh a-t-il comparé Eugène Ionesco dans *Le Figaro*, en 1956 ?

- Molière
- Jean Racine
- Pierre Corneille

333. D'où vient le titre *J'étais derrière toi* de Nicolas Fargues ?

- D'une menace proférée par un tueur
- D'un condisciple retrouvé par hasard
- D'une carte de visite laissée par une inconnue

334. À quel éditeur Françoise Sagan a-t-elle été mariée ?

- Gaston Gallimard
- Robert Denoël
- Guy Schoeller

335. Chez Longus, jamais Daphnis sans…

- … Amédée
- … Chloé
- … Églée

336. À qui doit-on *La belle lisse poire du prince de Motordu* ?

- Pef
- Sempé
- Roald Dahl

337. Dans *Evguénie Sokolov,* Serge Gainsbourg raconte la vie d'un artiste qui a une façon bien à lui de peindre, laquelle ?

- En lançant des pots de peinture en l'air
- En pétant
- En se servant d'une truelle comme pinceau

338. Chez quel auteur peut-on rencontrer Martereau ?

- Marcel Proust
- Anna Gavalda
- Nathalie Sarraute

339. Achevez la morale des « Animaux malades de la peste » de Jean de La Fontaine. « Selon que vous serez puissant ou misérable, / Les jugements de cour vous rendront…

- … noble ou gueux »
- … beau ou laid »
- … blanc ou noir »

340. Dans *L'écume des jours,* Boris Vian invente le pianocktail. De quoi s'inspire-t-il ?

- Du phonoscript d'Orwell
- De la flûte enchantée de Mozart
- De l'orgue à bouche de Huysmans

341. Chez quel dramaturge Toussaint Turelure existe-t-il ?

- Paul Claudel
- Valère Novarina
- Jean Tardieu

342. Au moment de quels accords Henry de Montherlant a-t-il reproché à la France sa « morale de midinette » ?

- Les accords d'Évian en 1968
- Les accords de Munich en 1938
- Les accords de Bretton Woods en 1944

343. Dans *L'histoire de Pi* de Yann Martel, Pi est le fils du directeur de quel zoo ?

- Londres
- Pondichéry
- Vincennes

344. Avant d'écrire son premier roman, *Le serment des barbares*, Boualem Sansal était :

- Un opposant marocain
- Un haut fonctionnaire algérien
- un ministre tunisien

345. Dans *L'usage du monde*, quel est l'itinéraire du voyage que Nicolas Bouvier raconte ?

- Vladivostok à Macao
- Sapporo à Fukuoka
- Belgrade à Kaboul

346. Comment s'appelle le personnage féminin qui, dans *La Dame de chez Maxim* de Georges Feydeau, clôt la pièce par cette réplique : « Et allez donc ! c'est pas mon père ! » ?

- Jeannette
- La môme Crevette
- Lucette

347. Ce mémorialiste féroce « écrivait à la diable pour l'immortalité ». De qui s'agit-il ?

- François de La Rochefoucauld
- Jean de La Bruyère
- Saint-Simon

348. Dans *Le Portrait de Dorian Gray* d'Oscar Wilde, quel texte contribue à la déchéance du héros qui le découvre dans un petit livre jaune ?

- *À rebours* de Huysmans
- *Les Fleurs du mal* de Baudelaire
- *Le Docteur Pascal* de Zola

349. Comment s'appelle le prêtre de Béatrix Beck, qui lui a valu le prix Goncourt en 1952 ?

- Georges Dupont
- Léon Morin
- Serge Lafont

350. Cette phrase qu'il a écrite est gravée sur sa stèle : « Je comprends ici ce qu'on appelle gloire, le droit d'aimer sans mesure. » De qui s'agit-il ?

- Jean Genet
- Henry de Montherlant
- Albert Camus

351. Dans *Les chênes qu'on abat*, Malraux rapporte ce conseil : « Quand tout va mal et que vous cherchez votre décision, regardez vers les sommets ; il n'y a pas d'encombrements. » Qui le lui donne ?

- Georges Pompidou
- Le général de Gaulle
- André Gide

352. Comment s'appellent les animaux répugnants, quoique quasi humains, que rencontre Gulliver dans le roman de Jonathan Swift ?

- Les yahoos
- Les youyous
- Les chabichous

353. Cette phrase : « Ensemble nous avions lutté contre le destin fangeux qui nous guettait et j'ai pensé longtemps que j'avais payé ma liberté de sa mort » conclut les souvenirs de jeunesse d'un écrivain du XXe siècle. De qui s'agit-il ?

- Annie Ernaux
- Simone de Beauvoir
- Catherine Cusset

354. Dans *Les pieds dans l'eau*, Benoît Duteurtre évoque une station balnéaire où son arrière-grand-père, le président René Coty, passait ses vacances. De quelle ville s'agit-il ?

- Saint-Tropez
- La Baule
- Étretat

355. Comment s'appellent les deux personnages de *Pour un oui ou pour un non* de Nathalie Sarraute ?

- H1 et H2
- Pierre et Paul
- Werner et Alexandre

356. Comment s'appelait l'éditeur de Charles Baudelaire, qu'il surnommait « Coco malperché » ?

- Louis Conard
- Auguste Poulet-Malassis
- Eugène Charpentier

357. Dans *Mémoires de Dirk Raspe*, Pierre Drieu la Rochelle, hanté par la mort, s'inspire d'un peintre à la vie douloureuse en qui il voit un frère. De qui s'agit-il ?

- Francisco Goya
- Eugène Delacroix
- Vincent Van Gogh

358. Comment sont les héros d'Alessandro Manzoni dans le titre du roman ?

- Mariés
- Fiancés
- Divorcés

359. Comment s'appelait la maîtresse de Denis Diderot, connue à travers la superbe correspondance qu'il lui a adressée ?

- Madeleine de Puisieux
- Julie de Lespinasse
- Sophie Volland

360. Dans quel camp de concentration Jorge Semprun a-t-il été déporté, épreuve que l'on lit dans *Le mort qu'il faut* ?

- Dachau
- Buchenwald
- Bergen-Belsen

361. Dans *Andromaque* de Jean Racine, comment s'appelle le fils de l'héroïne ?

- Titus
- Astyanax
- Brutus

362. Dans quel genre littéraire excellait Katherine Mansfield, l'auteur de *La garden-party* ?

- La nouvelle
- L'essai
- Le théâtre

363. Dans ce roman de Ian McEwan, Briony écrit un roman pour conserver la mémoire de ceux qu'elle a calomniés et leur rendre leur dignité. Quel est son titre ?

- *Expiation*
- *L'innocent*
- *Les chiens noirs*

364. Comment s'achève le vers de Blaise Cendrars qui commence par « Quand tu aimes… ?

- … il faut mourir »
- … il faut partir »
- … il faut t'enfuir »

365. Comment Victor Hugo, alors en voyage, apprit-il la mort de sa fille Léopoldine en septembre 1843 ?

- Par un télégramme
- Par une conversation
- En lisant le journal

366. Dans quel quartier de New York au nom imaginaire Francis Scott Fitzgerald situe-t-il la demeure de Gatsby ?

- Upper East Side
- West Egg
- Sands Point

367. Dans *L'élégance du hérisson* de Muriel Barbery, la famille de la jeune narratrice Paloma possède deux chats : quels sont leurs noms ?

- Constitution et Parlement
- Macha et Sacha
- Tom et Jerry

368. Complétez ce premier vers du *Bateau ivre* d'Arthur Rimbaud : « Comme je descendais…

- … l'escalier en colimaçon »
- … des fleuves impassibles »
- … le chemin fleuri »

369. Dans quel roman d'Alexandre Dumas le personnage tente-t-il de sauver Marie-Antoinette ?

- *Le Gentilhomme de la Montagne*
- *Le Chevalier de Maison-Rouge*
- *Le Vicomte de Bragelonne*

370. Dans l'*Iliade* d'Homère, à quel héros Achille confie-t-il ses armes pour repousser les Troyens ?

- Hector
- Ulysse
- Patrocle

371. Dans quel récit d'Heinrich Von Kleist une jeune veuve, enceinte, passe-t-elle une annonce dans un journal pour retrouver le père de son enfant ?

- *La Comtesse d'A…*
- *La Marquise d'O…*
- *La Princesse d'U…*

372. Dans la *Vie de Henry Brulard* de Stendhal, qui est Henry Brulard ?

- Stendhal lui-même
- Un musicien
- Un peintre

373. Complétez cet alexandrin d'Alfred de Musset : « Ah, frappe-toi le cœur…

- … lorsque trop il gémit ! »
- … c'est lui ton ennemi ! »
- … c'est là qu'est le génie ! »

374. Dans quel roman de Hans Fallada la famille Quangel inonde-t-elle Berlin de tracts contre Hitler ?

- *Inconnu à cette adresse*
- *Seul dans Berlin*
- *L'ami retrouvé*

375. Dans *Le Jeu de l'amour et du hasard* de Marivaux, quel nom prend Dorante lorsqu'il change de rôle avec Arlequin ?

- Arlequin
- Dubois
- Bourguignon

376. Complétez le vers de Paul Éluard « Nous ne vieillirons pas ensemble » par celui qui le suit immédiatement dans le recueil *Le temps déborde*, en choisissant parmi ces trois propositions :

- « Même les chiens sont malheureux »
- « Mon amour si léger prend le poids d'un supplice »
- « Ma vie s'est séparée de ta vie »

377. Dans quelle courte pièce de Jean Tardieu Monsieur A et Madame B ont-ils du mal à terminer leurs phrases ?

- *Finissez vos phrases !*
- *Trouvez vos mots !*
- *Réfléchissez avant de parler !*

378. Dans *Le pitre*, François Weyergans met face à face un analysé et son psychanalyste, le Grand Vizir. Qui pourrait se cacher derrière le Grand Vizir ?

- Sigmund Freud
- Jacques Lacan
- André Green

379. Dans quelle ville d'Amérique latine Isidore Ducasse, dit le comte de Lautréamont, est-il né ?

- Buenos Aires
- Caracas
- Montevideo

380. Dans quelle pièce de Jean-Paul Sartre le protagoniste comparaît-il devant un tribunal de crabes ?

- *Les mains sales*
- *Le diable et le bon Dieu*
- *Les séquestrés d'Altona*

381. Dans *Le problème avec Jane* de Catherine Cusset, quelle est la profession de Jane ?

- Universitaire
- Comptable
- Banquière

382. De qui Alexandre Vialatte fut-il le traducteur ?

- Robert Musil
- Franz Kafka
- Sigmund Freud

383. Dans *Ritournelle de la faim*, J.-M. G. Le Clézio raconte la première d'une pièce musicale. Laquelle ?

- *Rhapsody in Blue* de Gershwin
- *Le sacre du printemps* de Stravinski
- *Boléro* de Ravel

384. Dans *Le Songe d'une nuit d'été* de William Shakespeare, comment se nomme le lutin qui seconde Obéron, roi des Elfes, et qui répand le philtre d'amour ?

- Puck
- Tuck
- Duck

385. Dominique Aury n'a révélé que peu avant sa mort avoir été l'auteur d'un ouvrage qui fit scandale. De quel livre s'agit-il ?

- *Septentrion*
- *Histoire d'O*
- *Le château de Cène*

386. Dans *Sartoris*, le roman de William Faulkner, que désigne ce mot ?

- Une terre à conquérir
- Un objet porte-bonheur
- Le nom d'une famille

387. Dans *Les fleurs bleues*, Raymond Queneau joue avec deux personnages, l'un vit sur une péniche et l'autre semble venu du Moyen Âge. Comment s'appellent-ils ?

- Bordelin et le marquis de Blaye
- Cidrolin et le duc d'Auge
- Pinotin et le baron de Riesling

388. Écrivain et cinéaste, il fut assassiné sur une plage italienne. De qui s'agit-il ?

- Pier Paolo Pasolini
- Roberto Rossellini
- Ingmar Bergman

389. Dans *Les mouches*, Jean-Paul Sartre met en scène des personnages venus de la tragédie antique. Qui sont-ils ?

- Antigone et Ismène
- Oreste et Électre
- Œdipe et Jocaste

390. Elle a traduit en français à la fois les poèmes de Constantin Cavafy et nombre de gospels. De qui s'agit-il ?

- Jacqueline de Romilly
- Florence Delay
- Marguerite Yourcenar

391. Dans *Les Petites Filles modèles* de la comtesse de Ségur, quel est le patronyme des héroïnes Camille et Madeleine ?

- Roseville
- Bléville
- Fleurville

392. En 1336, cet humaniste italien écrit à son confesseur une lettre fameuse où il relate l'ascension qu'il fit du mont Ventoux. De qui s'agit-il ?

- Pic de la Mirandole
- Pétrarque
- Dante

393. De quel aviateur français de l'entre-deux-guerres Joseph Kessel a-t-il écrit une biographie ?

- Jean Mermoz
- Charles Nungesser
- Roland Garros

394. Dans *Mangeclous*, comment Albert Cohen appelle-t-il ses cinq personnages ?

- Les Courageux
- Les Valeureux
- Les Bienheureux

395. Fils de l'auteur de *L'hirondelle avant l'orage*, cet écrivain a reçu le prix Goncourt en 2006 pour un roman dont le titre renvoie à l'*Orestie* d'Eschyle. De qui s'agit-il ?

- Pascal Quignard (*Les ombres errantes*)
- Laurent Gaudé (*Le soleil des Scorta*)
- Jonathan Littell (*Les bienveillantes*)

396. De quel instrument le héros de *Corps et âme* de Frank Conroy joue-t-il ?

- Violon
- Piano
- Cor de chasse

397. Dans *Manhattan Transfer* de Dos Passos, combien de personnages suit-on ?

- Une vingtaine
- Un seul
- Un quatuor

398. Il a écrit des pièces célèbres, on sait moins qu'il est l'inventeur du droit d'auteur. De qui s'agit-il ?

- Beaumarchais
- Racine
- Corneille

399. De quelle œuvre « Je vous souhaite d'être follement aimée » est-elle la dernière phrase ?

- *Aurélien* d'Aragon
- *L'amant* de Duras
- *L'amour fou* de Breton

400. Dans quel roman de Malraux trouve-t-on Kyo, Gisors, May, Katow, Tchen ?

- *Les conquérants*
- *La condition humaine*
- *La voie royale*

401. Il a *Ouvert la nuit*, puis *Fermé la nuit*, donné des *Nouvelles du cœur* et des *Nouvelles des yeux*. De qui s'agit-il ?

- Paul Morand
- Jacques Sternberg
- Pierre Jean Jouve

402. De quel roman ou nouvelle « Où l'on commence à ne pas comprendre » est-il le titre du 1er chapitre ?

- *Un crime* de Bernanos
- *Le mystère de la chambre jaune* de Leroux
- *Le Ruban moucheté* de Conan Doyle

403. Dans quelle région habitait le baron de Thunder-ten-Tronckh, un des personnages du conte de Voltaire *Candide* ?

- En Westphalie
- En Bavière
- En Rhénanie

404. Le « capitaine » est une personne importante pour l'auteure Colette, c'est ?

- Son deuxième mari
- Son père
- Son fils

405. De quel roman s'inspire *La Traviata*, l'opéra de Verdi ?

- Du *Comte de Monte-Cristo*
- D'*Armance*
- De *La Dame aux camélias*

406. Lequel de ces auteurs n'écrit pas de chansons ?

- Emmanuel Carrère
- Philippe Djian
- Marie Nimier

407. Deux histoires se superposent dans *Le Maître et Marguerite* de Mikhaïl Boulgakov. L'une s'inspire des Évangiles, autour de Ponce Pilate. De quel grand mythe s'inspire l'autre ?

- Œdipe
- Faust
- Tristan et Iseut

408. Dans *Un amour de Swann* de Marcel Proust, Swann tombe amoureux d'Odette car elle ressemble à un portrait fait par quel artiste ?

- Léonard de Vinci
- Sandro Botticelli
- Johannes Vermeer

409. Lequel de ces auteurs n'est pas un libertin du XVIIe siècle ?

- Pierre Gassendi
- Cyrano de Bergerac
- Claude Adrien Helvétius

410. En 1977, dans *Le petit bleu de la côte ouest*, Jean-Patrick Manchette s'attache à un problème de société, lequel ?

- Le surendettement
- Le malaise des cadres
- La pollution des nappes phréatiques

411. Dans *Un balcon en forêt* de Julien Gracq, quel est le patronyme de l'aspirant, le personnage principal ?

- Grange
- Détable
- Masure

412. Lequel de ces écrivains américains n'a pas reçu le prix Nobel de littérature ?

- Pearl Buck
- Henry Miller
- William Faulkner

413. *Enfance*, l'autobiographie de Nathalie Sarraute, adopte une forme originale. Laquelle ?

- Elle est dialoguée
- Elle est dépourvue de ponctuation
- Elle est écrite en vers

414. Lequel de ces trois auteurs n'a pas été historiographe de Louis XIV ?

- Jean Racine
- Nicolas Boileau
- Jean Chapelain

415. Face à quelle maladie faut-il affirmer avec Olivia Rosenthal qu'*On n'est pas là pour disparaître* ?

- La scarlatine
- La maladie d'Alzheimer
- La rougeole

416. De quel personnage inventé par Georges Perec l'auteur de la *Maladie de Sachs* s'est-il inspiré pour inventer son pseudonyme ?

- Gaspard Winckler
- Georges Winter
- Pierre Gorge

417. Mes recherches pour *Meurtres pour mémoire* sur la manifestation du FLN le 17 octobre 1961 à Paris m'ont conduit à prendre la parole au procès de Maurice Papon. Qui suis-je ?

- Jean-Marc Varaut
- Didier Daeninckx
- Hubert de Beaufort

418. L'anneau que reçoit le sultan Mangogul du génie Cucufa dans *Les Bijoux indiscrets* de Denis Diderot a un pouvoir magique. Lequel ?

- Il endort celui qui le porte
- Il fait dire la vérité
- Il fait parler le sexe des femmes

419. De qui Ysé s'éprend-elle sur le bateau qui la conduit en Chine, dans *Partage de midi* de Paul Claudel ?

- De Ciz
- Mésa
- Amalric

420. Michel de Montaigne est célèbre en tant qu'auteur des *Essais*. Mais quelle fonction politique importante a-t-il occupée ?

- Député de la Gironde
- Sénateur du Var
- Maire de Bordeaux

421. La trilogie de Paul Claudel, c'est *L'otage*, *Le pain dur* et … ?

- *L'échange*
- *Le père humilié*
- *Partage de midi*

422. De quoi sont victimes Morcerf, Danglars et Villefort, dans un célèbre roman d'Alexandre Dumas ?

- D'une épidémie de peste
- De la vengeance d'Edmond Dantès
- D'une famine

423. Père d'Irénée, il a cultivé *Le jardin d'Hyacinthe* et mis une culotte à l'âne. De qui s'agit-il ?

- Jean Giono
- Henri Bosco
- Jules Romains

424. *Lancelot ou le chevalier de la charrette* est un roman de Chrétien de Troyes. Mais à quoi sert cette charrette ?

- À tirer les foins
- À conduire les condamnés
- À distribuer le courrier

425. De quoi souffre le protagoniste de *L'Homme des foules* d'Edgar Poe ?

- Il ne supporte pas la foule
- Il est hypocondriaque
- Il ne supporte pas la solitude

426. Pierre de Ronsard et Joachim Du Bellay partageaient le même handicap physique : de quoi s'agit-il ?

- Ils étaient sourds
- Ils étaient paralysés
- Ils étaient muets

427. Laquelle de ces tragédies n'est pas de Pierre Corneille ?

- *Andromède*
- *Zaïre*
- *Théodore*

428. En 1954, Simone de Beauvoir a reçu le prix Goncourt pour *Les mandarins.* Mais qui désigne-t-elle sous ce nom ?

- Des intellectuels parisiens
- Des chirurgiens
- Des politiciens chinois

429. Pour quel grand réalisateur hollywoodien William Faulkner travailla-t-il ?

- John Ford
- Howard Hawks
- King Vidor

430. Le chef-d'œuvre romanesque en quatre parties de Yukio Mishima s'intitule *La mer…* ?

- *… de glace*
- *… de la résurrection*
- *… de la fertilité*

431. Le jeune héros du *Baron perché* d'Italo Calvino monte dans les arbres et ne veut plus en redescendre parce qu'on l'oblige à manger… ?

- Des épinards
- Des escargots
- Des endives

432. Gibreel Farishta et Saladin Chamcha sont les héros d'un roman qui a changé la vie de son auteur. Retrouvez-les.

- *De sang-froid* de Capote
- *Da Vinci Code* de Brown
- *Les versets sataniques* de Rushdie

433. Qu'est-ce que Flannery O'Connor, auteure des *Braves gens ne courent pas les rues*, élevait dans sa ferme de Géorgie ?

- Des serpents
- Des paons
- Des chats

434. Que reçut Balzac sur la tête à la première d'*Hernani*, le drame de Victor Hugo ?

- Un trognon de chou
- Une chaussure
- Un pigeon mort

435. Le *Kalevala* est une épopée venue de quel pays ?

- La Finlande
- Le Cambodge
- La Thaïlande

436. J'ai inspiré Gustave Flaubert, Modeste Moussorgski, et même Orson Welles dans *Citizen Kane.* Qui suis-je ?

- Boris Godounov
- Salammbô
- Emma Bovary

437. Quel auteur a parfois signé Lord R'hoone ou Horace de Saint-Aubin ?

- Alexandre Dumas
- Stendhal
- Honoré de Balzac

438. Le voyageur est sans bagages, dit Jean Anouilh. Quelle signification métaphorique donne-t-il à ce titre ?

- Il n'a pas de famille
- Il est amnésique
- Il n'a pas d'argent

439. Le « syndrome de Pickwick » est une maladie qui tient son nom d'un personnage d'un roman. Qui en est l'auteur ?

- Robert Louis Stevenson
- Charles Dickens
- Arthur Conan Doyle

440. Quel auteur américain, encouragé par le directeur de la Série Noire, s'est lancé dans le roman policier et a inventé Ed Cercueil et Fossoyeur Jones, inspecteurs de police à Harlem ?

- Agatha Christie
- Arthur C. Coyle
- Chester Himes

441. Lequel de ces écrivains n'est pas imité par Marcel Proust dans ses *Pastiches et mélanges* ?

- Émile Zola
- Sainte-Beuve
- Gustave Flaubert

442. Le docteur Pascal, scientifique créé par Émile Zola, travaille sur un champ médical particulier. Lequel ?

- La dermatologie
- L'hérédité
- L'hématologie

443. Quel auteur de théâtre grec met en scène un Socrate suspendu en l'air dans un grand panier ?

- Aristophane
- Euripide
- Sophocle

444. Où commence la nouvelle de Guy de Maupassant *Boule de suif* ?

- Dans une diligence
- Dans un salon bourgeois
- Dans une maison close

445. Le héros des *Aventures de Télémaque* de Fénelon est guidé et conseillé par son précepteur. Son nom deviendra un nom commun avec le sens d'« éducateur » ou d'« inspirateur ». De qui s'agit-il ?

- Tuteur
- Mécène
- Mentor

446. Quel auteur dramatique a dit « Je fais des pièces et ma femme des scènes » ?

- Sacha Guitry
- Eugène Labiche
- Georges Feydeau

447. Où est jeté le corps de Lorenzo à la fin de *Lorenzaccio* d'Alfred de Musset ?

- Dans une fosse commune
- Dans la lagune de Venise
- Dans l'Arno

448. Le patronyme de Cripure, dans *Le sang noir* de Louis Guilloux, provient d'un titre d'Emmanuel Kant. Lequel ?

- *Critique de la raison pratique*
- *Critique de la faculté de juger*
- *Critique de la raison pure*

449. Quel auteur du XVIIIe siècle a prononcé cette phrase : « Français, encore un effort si vous voulez être républicains ! » ?

- Le marquis de Sade
- Pierre Choderlos de Laclos
- Voltaire

450. Où le narrateur du *Temps retrouvé* est-il transporté en pensée, trébuchant sur les pavés de la cour de l'hôtel de Guermantes ?

- Rue Bonaparte
- Sur la place Saint-Marc à Venise
- À Balbec

451. Le *Ramayana* raconte l'éducation de quel prince ?

- Rama
- Ramaya
- Ramayana

452. Quel auteur japonais qui s'est donné la mort, en 1970, par un seppuku spectaculaire a eu notamment Marguerite Yourcenar pour traductrice ?

- Tomoyoshi Murayama
- Naoya Shiga
- Yukio Mishima

453. Où René Char a-t-il composé *Feuillets d'Hypnos* ?

- En prison
- Dans un refuge clandestin de la Résistance
- Sur une île déserte

454. *Le roi s'amuse*, dit Victor Hugo. Mais quel roi ?

- Henri III
- Louis XIII
- François Ier

455. Quel auteur, connu pour ses ouvrages de science-fiction, revisite le mythe des *Îles anciennes* dans le *Cycle de Lyonesse* ?

- Philip K. Dick
- Jack Vance
- John Brunner

456. Par qui fut inventée la notion littéraire de « négritude » ?

- Léopold Sédar Senghor
- Aimé Césaire
- Marcus Garvey

457. Mèmed le Mince est le héros d'une épopée turque moderne. Qui a écrit ses aventures ?

- Yachar Kemal
- Nazim Hikmet
- Orhan Pamuk

458. Quel auteur, médecin, diplomate, académicien français depuis 2008, a reçu le prix Interallié pour *Les causes perdues* en 1999 ?

- Michel Houellebecq
- Jean-Christophe Rufin
- Eduardo Manet

459. Par quel jeune acteur inconnu appelé à une grande carrière le rôle principal de la pièce d'Albert Camus *Caligula* fut-il créé en 1945 ?

- François Chaumette
- Jean-Louis Barrault
- Gérard Philipe

460. Quel dessinateur a notamment illustré plusieurs des œuvres romanesques de Louis-Ferdinand Céline ?

- Jacques Tardi
- Joann Sfar
- Quentin Blake

461. Pour quelle interprète Jean Cocteau écrit-il la pièce *Le bel indifférent* ?

- Anna Magnani
- Marianne Oswald
- Édith Piaf

462. Pauline de Théus, tant aimée par le hussard de Jean Giono, apparaît dans toutes ces œuvres sauf une. Laquelle ?

- *Les récits de la demi-brigade*
- *Regain*
- *Angelo*

463. Quel écrivain incarna Jeanne d'Arc pour Robert Bresson ?

- Régine Deforges
- Florence Delay
- Anne Wiazemsky

464. Que fait Consuelo, l'héroïne du roman de George Sand ?

- Actrice
- Peintre
- Cantatrice

465. Quel écrivain prolifique a utilisé 27 pseudonymes dont « Jean Dorsage », « Georges Sim », « Plick et Plock » ou « Poum et Zette » ?

- Jean Giraudoux
- Georges Simenon
- Romain Gary

466. Qu'est-ce qui disparaît et produit le désastre dans *Ravage* de l'auteur de science-fiction René Barjavel ?

- L'électricité
- Le soleil
- L'amour

467. Quel acteur a incarné le héros de Joseph Conrad, *Lord Jim*, au cinéma ?

- Steve McQueen
- Peter O'Toole
- Richard Burton

468. Quel écrivain s'est engagé dans la Résistance sous le nom de « colonel Berger » ?

- Jean Cassou
- René Char
- André Malraux

469. Que souhaite Barbey d'Aurevilly quand il écrit *L'Ensorcelée* ?

- Faire du Eschyle à Caen
- Faire du Shakespeare dans les fossés du Cotentin
- Faire du Dante dans les landes normandes

470. Quel acteur américain a incarné le héros de George Du Maurier, Peter Ibbetson ?

- Gary Cooper
- Gregory Peck
- James Stewart

471. Quel écrivain, auteur de *Réflexions sur la question juive*, est fait docteur honoris causa de l'université de Jérusalem, en 1976, pour avoir favorisé le dialogue israélo-palestinien ?

- Albert Cohen
- Raymond Aron
- Jean-Paul Sartre

472. Quel animal accompagne Yvain dans le roman de Chrétien de Troyes ?

- Un dragon
- Un lion
- Un chat

473. Quel alcool boit en grande quantité le consul Geoffrey Firmin, dans le roman de Malcolm Lowry *Au-dessous du volcan* ?

- De la vodka
- Du mezcal
- Du whisky

474. Quel écrivain, évêque dans cette ville de 1681 à 1704, est surnommé « l'aigle de Meaux » ?

- Jacques-Bénigne Bossuet
- Philippe de Vitry
- Guillaume Briçonnet

475. Quel artiste français inspira Saint-John Perse pour son recueil *Oiseaux* ?

- Georges Braque
- Pablo Picasso
- Marc Chagall

476. Quel est le premier auteur à être entré de son vivant dans la collection de la Pléiade ?

- André Breton
- André Gide
- André Malraux

477. Quel auteur Annie Ernaux cite-t-elle en épigraphe de *La place* : « Je hasarde une explication : écrire c'est le dernier recours quand on a trahi » ?

- Jean-Paul Sartre
- Albert Camus
- Jean Genet

478. Quel auteur libertin du XVIIe siècle envoie successivement son héros visiter la Lune puis le Soleil ?

- Théophile de Viau
- Cyrano de Bergerac
- Charles d'Assoucy

479. Quel était le chef de file du parti des Modernes dans la querelle des Anciens et des Modernes au XVIIe siècle ?

- Nicolas Boileau
- Thomas Corneille
- Charles Perrault

480. Quel écrivain américain inventa un comté imaginaire, le « Yoknapatawpha », où se déroulent la plupart de ses romans, notamment *Sartoris* ?

- Oscar Wilde
- William Faulkner
- Ray Bradbury

481. Quel crime commet le héros des *Noces barbares*, qui n'a pas empêché Yann Queffélec de recevoir le prix Goncourt en 1985 ?

- Il tue sa mère
- Il tue sa sœur
- Il tue son père

482. Quel était le métier de Pierre Corneille ?

- Avocat
- Tapissier du roi
- Maître d'armes

483. Quel est le métier de Warda dans *Les paravents* de Jean Genet ?

- Blanchisseuse
- Prostituée
- Agricultrice

484. Quel dramaturge du XXe siècle privilégie pour les personnages principaux de ses œuvres théâtrales le prénom Bérenger ?

- Samuel Beckett
- Eugène Ionesco
- Jean Giraudoux

485. Quel était le métier de Stéphane Mallarmé ?

- Professeur de français
- Professeur de mathématiques
- Professeur d'anglais

486. Quel est le réalisateur de l'adaptation cinématographique du roman d'Albert Camus, *L'étranger*, interprété par Marcello Mastroianni en 1967 ?

- Luchino Visconti
- Alain Resnais
- Ingmar Bergman

487. Quel est l'alter ego de Philip Roth dans certains de ses romans, notamment *J'ai épousé un communiste* ou *La tache* ?

- Nathan Zuckerman
- Richard Clayderman
- Daniel Kellerman

488. Quel grand auteur de théâtre a aussi dirigé l'entreprise Gillette France ?

- Eugène Ionesco
- Roger Vitrac
- Michel Vinaver

489. Quel événement sert de toile de fond à *Quel petit vélo à guidon chromé au fond de la cour ?* de Georges Perec ?

- La Seconde Guerre mondiale
- La guerre d'Algérie
- Le Tour de France 1962

490. Quel est l'intrus parmi ces personnages du *Grand Meaulnes* d'Alain-Fournier ?

- François de Seryeuse
- François Seurel
- Augustin Meaulnes

491. Quel livre lisait chaque matin Stendhal en composant *La Chartreuse de Parme* « afin d'être toujours naturel » ?

- La Bible
- Le *Code civil*
- Les *Confessions* de Rousseau

492. Quel métier exerça Geoffrey Chaucer, l'auteur des *Contes de Canterbury*, pendant douze ans ?

- Tapissier
- Contrôleur des douanes
- Horloger à Buckingham Palace

493. Quel nom porte la période durant laquelle se passent *Les raisins de la colère* de John Steinbeck ?

- Le New Deal
- La Reconstruction
- La Grande Dépression

494. Quel métier faisait Jean Rouaud lorsque son premier roman, *Les champs d'honneur*, Goncourt 1990, a transformé sa vie ?

- Vendeur de journaux
- Libraire
- Professeur de biologie

495. Quel personnage voltairien règle une dispute entre ceux qui entrent dans un temple du pied droit et ceux qui y entrent du pied gauche en y entrant pieds joints ?

- Candide
- Zadig
- Pangloss

496. Quel est le nom du roi dans *Le roi se meurt* d'Eugène Ionesco ?

- Bérenger Ier
- François Ier
- Charles Ier

497. Quel poète de langue arabe né en Syrie en 1930, auteur notamment de *Mémoire du vent*, écrit sous le nom d'un dieu grec ?

- Adonis
- Apollon
- Dionysos

498. Quel poète antique guide Dante à travers l'enfer et le purgatoire dans *La Divine Comédie* ?

- Térence
- Virgile
- Sappho

499. Quel est le prénom du « page disgracié » de Tristan L'Hermite, qui raconte les dix-neuf premières années de sa vie ?

- Marc
- Lancelot
- Tristan

500. Quel poète martiniquais a été maire de Fort-de-France ?

- Édouard Glissant
- Aimé Césaire
- Joby Bernabé

501. Quel récit de Guy de Maupassant a une préface considérée comme le manifeste du réalisme ?

- *Le Horla*
- *Bel-Ami*
- *Pierre et Jean*

502. Quel est le surnom de Germaine Malorthy dans *Sous le soleil de Satan* de Georges Bernanos ?

- Bichette
- Mouchette
- Mèmène

503. Quel est le surnom de l'héroïne des *Souffrances du jeune Werther* de Goethe ?

- Lotte
- Gretchen
- Kate

504. Quel point commun entre saint Augustin et Albert Camus ?

- Tous deux sont nés dans l'actuelle Algérie
- Tous deux ont écrit des *Confessions*
- Tous deux étaient orphelins

505. Quel sens faut-il donner au titre du roman d'anticipation *Fahrenheit 451* de Ray Bradbury ? C'est la température…

- … à laquelle les hommes meurent instantanément
- … à laquelle le papier s'enflamme et se consume
- … à laquelle la planète pourrait imploser

506. Quel est le véritable prénom de *Lolita*, la nymphette du roman de Vladimir Nabokov ?

- Laurence
- Éloïse
- Dolorès

507. Quel vers de Jean Racine hante Aurélien dans le roman de Louis Aragon ?

- « Je demeurai longtemps errant dans Césarée » (Antiochus dans *Bérénice*)
- « Je me livre en aveugle au destin qui m'entraîne » (Oreste dans *Andromaque*)
- « Je t'aimais inconstant, qu'aurais-je fait fidèle ? » (Hermione dans *Andromaque*)

508. Quelle bataille napoléonienne fait dire à Fabrice dans *La Chartreuse de Parme* de Stendhal : « J'ai vu le feu ! » ?

- Waterloo
- Austerlitz
- Arcole

509. Quel lien de parenté unit Flora Tristan et Paul Gauguin, destins croisés du roman de Mario Vargas Llosa *Le paradis — un peu plus loin* ?

- Frère et sœur
- Gauguin est le petit-fils de Flora Tristan
- Aucun

510. Quelle est l'occupation préférée de Marcel Proust, en réponse à son célèbre questionnaire ?

- Sortir
- Écrire
- Aimer

511. Quelle défaite française de la guerre de 1870 a été décrite par Émile Zola dans *La Débâcle* ?

- Verdun
- Sedan
- Froeschwiller-Woerth

512. Quelle carrière semble s'offrir à Blanchette au début de *Ravage* de René Barjavel ?

- Chanteuse d'opéra
- Artiste peintre
- Vedette de la télévision

513. Quelle femme peintre, amie de Pablo Picasso, fut la maîtresse de Guillaume Apollinaire ?

- Suzanne Valadon
- Berthe Morisot
- Marie Laurencin

514. Quelle est l'ambition de Pierre Ménard, obscur écrivain français inventé par Jorge Luis Borges ?

- Trouver le Graal
- Réécrire à l'identique le *Don Quichotte* de Cervantès
- Inventer un nouveau mythe antique

515. Quelle est la profession de Benjamin Malaussène dans *La fée carabine* de Daniel Pennac ?

- Bouc émissaire
- Armurier
- Pharmacien

516. Quelle ville japonaise Kimitake Hiraoka a-t-il choisie pour pseudonyme ?

- Mishima
- Fukushima
- Tokyo

517. Quelle est la particularité de la *Ballade des pendus* de François Villon ?

- C'est le premier poème écrit en vers libre
- Les morts s'y adressent aux vivants
- Les pendus le sont par les pieds

518. Quels sont les prénoms des deux sœurs qui veulent tuer « Madame » dans *Les bonnes* de Jean Genet ?

- Aude et Nadège
- Marie et Anne
- Solange et Claire

519. Quelles ont été les dernières paroles de Goethe sur son lit de mort ?

- « Pas de lumière ! »
- « Plus de lumière ! »
- « Plus tard ! »

520. Quelle œuvre commence ainsi : « Comment s'étaient-ils rencontrés ? Par hasard, comme tout le monde. Comment s'appelaient-ils ? Que vous importe » ?

- *Elle et lui* de George Sand
- *Jacques le fataliste* de Diderot
- *Belle du seigneur* d'Albert Cohen

521. Quels sont les quatre valets des *Trois Mousquetaires* ?

- Bazin, Grimaud, Mousqueton, Planchet
- Grimal, Rapière, Parquet, Basile
- Bazon, Grégoire, Mousquet, Planqueton

522. Qui a affirmé que le vers le plus beau de la langue française, de sa composition, était : « Le geai gélatineux geignait dans le jasmin » ?

- Aragon
- Boris Vian
- René de Obaldia

523. Quelle œuvre, désignée par son auteur comme un « roman poème », commence par cet avertissement « La préface est à l'intérieur » ?

- *La vie mode d'emploi* de Perec
- *La vie devant soi* d'Ajar
- *Une vie ordinaire* de Perros

524. Qui a caché le trésor de *L'Île au trésor* de Robert Louis Stevenson ?

- Le capitaine Nemo
- Le capitaine Flint
- Le capitaine Fracasse

525. Qui a créé la « pataphysique », la « science des solutions imaginaires, qui accorde symboliquement aux linéaments les propriétés des objets décrits par leur virtualité » ?

- Alfred Jarry
- Boris Vian
- Sigmund Freud

526. Quelle particule élémentaire découverte en 1964 a été nommée par les physiciens d'après un mot prononcé par un personnage de *Finnegans Wake* de James Joyce ?

- Le quick
- Le quark
- Le snark

527. Qui cherche tous les personnages de *Dans le café de la jeunesse perdue* de Patrick Modiano ?

- Nadja
- Isabelle
- Louki

528. Qui a décrit ainsi les trois problèmes du XIXe siècle : « La dégradation de l'homme par le prolétariat, la déchéance de la femme par la faim, l'atrophie de l'enfant par la nuit » ?

- Émile Zola
- Victor Hugo
- Eugène Sue

529. Quelle ville est le cadre de plusieurs des livres de Giorgio Bassani ?

- Ferrare
- Vérone
- Mantoue

530. Qui est « Gros câlin » dans le roman de Romain Gary ?

- Un chat
- Un python
- Un ours

531. Qui a écrit « Vingt fois sur le métier remettez votre ouvrage » ?

- Michel Serres
- Albert Jacquard
- Nicolas Boileau

532. Qui est le coupable du *Double Assassinat dans la rue Morgue* d'Edgar Allan Poe ?

- Un orang-outan
- Un serpent
- Un dogue

533. Qui est « l'Enfant éternel » de Philippe Forest ?

- Lui-même
- Sa fille
- Chacun d'entre nous

534. Qui a écrit cette maxime : « L'amour, tel qu'il existe dans la société, n'est que l'échange de deux fantaisies et le contact de deux épidermes » ?

- La Rochefoucauld
- Céline
- Chamfort

535. Qui Félicité, héroïne de Gustave Flaubert dans *Un cœur simple*, vénère-t-elle à la fin du texte ?

- Son amant
- Un perroquet
- Son lilas

536. Qui est celui que Fiodor Dostoïevski appelle *L'Idiot* ?

- Le comte Priakhine
- Le prince Mychkine
- Le duc Rostropchine

537. Qui a écrit *Le Devin du village*, son seul opéra, en 1752 ?

- Jean-Jacques Rousseau
- Marivaux
- Beaumarchais

538. Qui illustra l'édition originale de la *Prose du transsibérien et de la petite Jeanne de France* de Blaise Cendrars ?

- Pablo Picasso
- Marc Chagall
- Sonia Delaunay

539. Qui est le peintre, héros de *La Semaine sainte* de Louis Aragon ?

- Théodore Géricault
- Eugène Delacroix
- Antoine-Jean Gros

540. Qui a écrit : « Il y a longtemps que je ne crains plus le ridicule ; je sais aujourd'hui que l'homme est quelque chose qui ne peut pas être ridiculisé » ?

- Albert Cohen
- Albert Camus
- Romain Gary

541. Retrouvez un célèbre poème des *Fleurs du mal* de Charles Baudelaire, qui peut évoquer un changement de ligne de train, de métro ou d'avion.

- « Lignes »
- « Changements »
- « Correspondances »

542. Qui forme le couple du *Diable au corps* de Raymond Radiguet ?

- Léa et Frédéric
- Marthe et François
- Julien et Mathilde

543. Retrouvez dans cette phrase de William Shakespeare les mots manquants qui constituent également le titre d'un roman de William Faulkner : « C'est une histoire que conte un idiot, une histoire pleine de… et de…, mais vide de signification. »

544. Si Edmée de Mauprat ne jure que par l'*Émile* et a beaucoup pleuré en lisant *La Nouvelle Héloïse*, c'est que son créateur se considérait comme le fils (ou la fille) spirituel(le) de Rousseau. Qui est donc l'auteur de *Mauprat* ?

- George Sand
- Guy de Maupassant
- Alphonse Allais

545. Qui occupe les pensées de Don Quichotte dans le roman de Miguel de Cervantès ?

- Dulcinée
- Bella
- Amarosa

546. Retrouvez le bel alexandrin qui clôt le sonnet 6 des *Regrets* de Du Bellay

- « Et les Muses s'enfuient comme étranges de moi »
- « Et les Muses de moi comme étranges s'enfuient »
- « Et les Muses comme étranges de moi s'enfuient »

547. Sous quel nom Jean Cassou publia-t-il en 1944 ses *Trente-trois sonnets composés au secret* ?

- Jean Bleu
- Jean Blanc
- Jean Noir

548. Selon Alexandre Vialatte, quel adjectif qualifie Battling ?

- Valeureux
- Obséquieux
- Ténébreux

549. Si vous lisez l'heure en effeuillant un artichaut et dessinez des hirondelles sur la carapace des tortues, vous êtes peut-être un Cronope, selon cet auteur argentin. De qui s'agit-il ?

- Pablo Neruda
- Julio Cortázar
- Jorge Luis Borges

550. Sur quel navire s'embarque le narrateur de *Moby Dick* d'Herman Melville ?

- Le *Pequod*
- La *Pagode*
- L'*Atlantis*

551. Sous quel nom est plus connu le marin Selkirk naufragé sur une île déserte ?

- Yvanohé
- Vendredi
- Robinson Crusoé

552. Sous quel nom, dans l'entre-deux-guerres, se sont regroupés Francis Scott Fitzgerald, Gertrude Stein, Ernest Hemingway et John Steinbeck ?

- La Génération tournante
- La Génération perdue
- La Génération désillusionnée

553. Sur quelle période historique s'étend l'action racontée par Léon Tolstoï dans *Guerre et Paix* ?

- 1830-1848
- 1805-1820
- 1850-1890

554. Suétone raconta la vie de douze d'entre eux. De qui s'agit-il ?

- Les Césars
- Les apôtres
- Les Brutus

555. Théophile Gautier, Guy de Maupassant et Alfred Jarry ont un point commun, lequel ?

- Ils sont nés à Nice
- Ils sont morts de la syphilis
- Ils sont passionnés d'aviron

556. Un seul de ces personnages raciniens échappe à la mort à l'issue de la tragédie qui porte son nom, lequel ?

- Andromaque
- Britannicus
- Phèdre

557. Thierry Jonquet dit de Léon, dans *La bête et la belle* : « Léon est vieux. Très vieux. Léon est moche. Très moche. Léon est sale. Vraiment très sale. » Qui est Léon, ami du « Coupable » ?

- Un chien
- Un copain de lycée
- Un ami de bar

558. Tout le monde connaît le premier octosyllabe du célèbre poème de Pierre de Ronsard, « Mignonne allons voir si la rose… » Mais quelle en est la suite ?

- … qui ce matin avait déclose / Sa robe de pourpre au soleil »
- … dont les pétales virtuoses chatouillent le chant du soleil »
- … durant la nuit métamorphose nos amitiés en hymen »

559. Une seule de ces œuvres de Georges Simenon n'a pas encore été adaptée au cinéma. Laquelle ?

- *La vérité sur Bébé Donge*
- *La veuve Couderc*
- *Le cercle des Mahé*

560. Un de ces personnages n'est pas dans la distribution de *On ne badine pas avec l'amour* d'Alfred de Musset. Lequel ?

- Dame Pluche
- Perdican
- Colombine

561. Trouvez le mot de la fin, opportun, du roman *Le vol d'Icare* de Raymond Queneau : « Tout se passa comme prévu ; mon roman est... »

- ... raté »
- ... terminé »
- ... amusant »

562. Une seule de ces œuvres de Jules Supervielle a été écrite en prose. Laquelle ?

- *L'enfant de la haute mer*
- *Gravitations*
- *Oublieuse mémoire*

563. Une de ces dénominations ne peut pas s'appliquer à Mèmed, le personnage de Yachar Kemal, laquelle ?

- Le Mince
- Le Malin
- Le Faucon

564. Trouvez les quatre mots manquants à cet alexandrin, dernier vers de *Nuit rhénane* de Guillaume Apollinaire : « Mon verre s'est brisé comme…

- … un éclat de rire »
- … une porte qui claque »
- … une nuit en été »

565. Valentino, le jeune héros du *Grand Quoi* de Dave Eggers, traverse l'Afrique pour partir en Amérique. Mais de quel pays est-il originaire ?

- D'Afrique du Sud
- De Tunisie
- Du Soudan

566. Une seule de ces œuvres n'évoque pas la figure du peintre Géricault. Laquelle ?

- *Les sept noms du peintre* (P. Le Guillou)
- *La chute de cheval* (J. Garcin)
- *La Semaine sainte* (Aragon)

567. « Il dit non avec la tête / Mais il dit oui avec le cœur » dans *Paroles* de Jacques Prévert, oui mais qui agit ainsi ?

- L'Amoureux
- Le Cancre
- Le Muet

568. Quel type de poésie traditionnelle les écrivains japonais Bashô, Buson et Issa ont-ils particulièrement illustré ?

- Le pantoum
- Le haïku
- La ballade

« À VAINCRE SANS PÉRIL ON TRIOMPHE SANS GLOIRE »

✲✲✲

569. « Ne nous associons qu'avec nos égaux » : de quelle fable de La Fontaine cette phrase est-elle la morale ?

- « Les Deux Pigeons »
- « Le Milan et le Rossignol »
- « Le Pot de terre et le Pot de fer »

570. Ce fermier boiteux, qui porte une histoire terrible qu'il raconte un soir d'hiver au narrateur, donne son nom au titre d'un roman d'Edith Wharton, publié en 1911. De qui s'agit-il ?

- Dorian Gray
- Henry James
- Ethan Frome

571. Avec quel collaborateur Denis Diderot a-t-il mis en œuvre l'*Encyclopédie* ?

- D'Alembert
- Voltaire
- Montesquieu

572. Avec quel ouvrage entre les mains François Mitterrand pose-t-il pour la photo officielle de président de la République ?

- Les *Pensées* de Pascal
- Les *Essais* de Montaigne
- L'*Encyclopédie* de Diderot et d'Alembert

573. Comment Edmond Dantès s'évade-t-il de la prison du Château d'If dans *Le Comte de Monte-Cristo* ?

- Il a volé les clefs
- Il a creusé un tunnel
- Il a mis un explosif

574. Daisy Miller, Isabelle Archer, Maisie Farange. Trois héroïnes imaginées par un auteur. Lequel ?

- Jack London
- George Orwell
- Henry James

575. Comment une religieuse aide-t-elle involontairement Jean Valjean à s'évader dans *Les Misérables* de Victor Hugo ?

- En lui laissant emprunter son cercueil
- En l'emmenant à l'église
- En lui faisant visiter le couvent

576. Comment s'appelle le destrier de Gauvain, le chevalier de la Table ronde, dans l'œuvre de Chrétien de Troyes ?

- Bayard
- Gringalet
- Veillantif

577. Il y a un pendant italien à *L'Avare* de Molière. Quel en est l'auteur en 1756 ?

- Carlo Goldoni
- Marco Lopi
- Pablo de la Mescla

578. Dans *L'homme qui rit*, Victor Hugo a inventé un groupe humain, les Comprachicos. Mais que font-ils ?

- Ils volent des bijoux
- Ils font commerce des enfants
- Ils jouent de la guitare

579. Dans *La chute* d'Albert Camus, que boit le personnage principal, qui lui fait dire : « Heureusement qu'il y a le…, la seule lueur dans ces ténèbres » ?

- Le vin
- Le feu liquide
- Le genièvre

580. Dans *Le bruit et la fureur* de William Faulkner, qui est le personnage présenté en ces termes : « Dites plutôt que ça fait trente ans qu'il a trois ans » ?

- Quentin
- Luster
- Benjy

581. De quel animal Jean de La Fontaine dit-il : « Après qu'il eut brouté, trotté, fait tous ses tours » ?

- Le veau
- Le mouton
- Le lapin

582. De quelle trame médiévale René Barjavel s'inspire-t-il dans *L'enchanteur* ?

- Tristan et Iseut
- Les chevaliers de la Table ronde
- La chanson de Roland

583. En 1973, quel est l'inconvénient pour Cioran ?

- *De l'inconvénient d'être né*
- *De la difficulté à écrire*
- *De l'inconvénient d'être laid*

584. Quel était le vrai nom de Jules Romains ?

- Persil
- Romarin
- Farigoule

585. Quels sont les prénoms de E. T. A. Hoffmann ?

- Eddie Thomas Andrew
- Ernst Theodor Amadeus
- Edmond Tim Adolph

586. Quel célèbre mythomane du XVIIIe siècle, devenu personnage de fiction, a donné son nom à un syndrome médical ?

- Le baron de Münchhausen
- Le marquis de Carabas
- Le comte de Fadaise

587. « Aujourd'hui, jour de Pâques fleuries, il y a précisément cinquante ans de ma première connaissance avec Madame de Warens. » Une seule de ces affirmations, concernant cette phrase de Rousseau, est fausse. Laquelle ?

- Elle évoque la figure maternelle du premier amour de Rousseau
- C'est une des dernières pages de Rousseau
- Elle est extraite des *Confessions*

588. « Me cherchiez-vous, Madame », dans ce vers racinien, qui espère être cherché par Madame et dans quelle œuvre les retrouve-t-on ?

- Néron dans *Britannicus*
- Antiochus dans *Bérénice*
- Pyrrhus dans *Andromaque*

589. « Le coup passa si près que le chapeau tomba. » Mais à qui appartient ce chapeau, et où la scène se déroule-t-elle ?

- À Fabrice del Dongo lors de la bataille de Waterloo
- À Gavroche sur les barricades
- Au père de Hugo, après la bataille de Waterloo

590. À quel écrivain, désigné dans le titre comme *Son Excellence, Monsieur mon ami*, Jérôme Garcin a-t-il consacré un livre hommage ?

- François-Régis Bastide
- Pierre Jean Jouve
- Louis Calaferte

591. « Songe, songe, Céphise, à cette nuit cruelle », dit Andromaque à sa suivante dans la tragédie de Jean Racine. Mais quel est le vers qui complète ce dernier et quel est le nom du personnage à qui il s'adresse ?

- « Qui m'enleva la joie de l'amour éternel ! » à Cléone
- « Qui fut pour tout un peuple une nuit éternelle ! » à Céphise
- « Qui me perça le cœur d'une atteinte si cruelle ! » à Hermione

592. Au Moyen Âge, jamais Aucassin sans…

- … Sabinette
- … Babette
- … Nicolette

593. « Je méditerai, tu m'éditeras » : de qui est cette phrase et à qui s'adresse-t-elle ?

- Victor Hugo à Pierre-Jules Hetzel
- Louise de Vilmorin à Gaston Gallimard
- Charles Baudelaire à Auguste Poulet-Malassis

594. À quel auteur Gabriel Matzneff a-t-il dédié *La diététique de Lord Byron* ?

- Hugo Pratt
- Hergé
- Jacques Martin

595. Avec qui part Lucien pour Paris, à la fin de la première partie d'*Illusions perdues* d'Honoré de Balzac ?

- Vautrin
- Mme de Bargeton
- Sa sœur Ève

596. « Je suis homme, et rien de ce qui est humain ne m'est étranger. » Quel auteur latin a écrit cette maxime ?

- Plaute
- Horace
- Térence

597. À qui Françoise Sagan s'adresse-t-elle dans cet extrait d'*Avec mon meilleur souvenir* ? « Seulement, je voulais que vous receviez cette lettre le 21 juin, jour faste pour la France qui vit naître, à quelques lustres d'intervalle, vous, moi, et plus récemment Platini, trois excellentes personnes portées en triomphe ou piétinées sauvagement — vous et moi uniquement au figuré, Dieu merci — pour des excès d'honneur ou des indignités qu'elles ne s'expliquent pas. »

- Bernard Frank
- Jean-Paul Sartre
- Jacques Chazot

598. À quel auteur et dans quelle œuvre Françoise Sagan a-t-elle emprunté le titre de son roman *Et mourir de plaisir* ?

- Michel de Montaigne dans les *Essais*
- Pierre Corneille dans *Horace*
- Le marquis de Sade dans *La Philosophie dans le boudoir*

599. À quoi fait référence la « lettre écarlate » qui donne son titre au roman de Nathaniel Hawthorne ?

- À un sceau sur un cachet de cire
- À une cicatrice
- À une lettre rouge

600. Ce personnage d'enquêteur créé par Émile Gaboriau, le père du roman policier, inspira Conan Doyle pour Sherlock Holmes. Quel est son nom ?

- Lecoq
- Leblanc
- Lerouge

601. Antonin Artaud, l'auteur du *Théâtre et son double*, joua un personnage révolutionnaire dans *Napoléon* d'Abel Gance. Lequel ?

- Robespierre
- Marat
- Danton

602. À quoi Francis Ponge ne s'intéresse-t-il pas dans *La rage de l'expression* ?

- À l'oiseau
- À la tortue
- À la violette

603. Cet aristocrate, ami du narrateur d'*À la recherche du temps perdu*, meurt en héros pendant la Première Guerre mondiale. De qui s'agit-il ?

- Robert de Saint-Loup
- Hannibal de Bréauté
- Charles Swann

604. Au XIVe siècle, cet explorateur relate dans *Voyage* ses 120 000 kilomètres à travers l'Afrique du Nord, l'Arabie, la Perse, l'Inde, la Chine et l'Asie centrale. De qui s'agit-il ?

- Ibn Battûta
- Lawrence d'Arabie
- Saadi Tokoma

605. À quoi le rédacteur du *Journal d'un vieux fou* de Tanizaki dépense-t-il l'argent économisé pour agrandir sa demeure ?

- À un banquet
- À un tableau de maître
- À un œil-de-chat

606. Cette jeune Africaine échappe à l'esclavage et vit à Paris, sous la plume de Mme de Duras. Comment se prénomme-t-elle ?

- Héléna
- Ourika
- Séléna

607. À quoi Victor Hugo veut-il faire porter un « bonnet rouge » dans son poème des *Contemplations*, « Réponse à un acte d'accusation » ?

- Au vieux dictionnaire
- Aux monarchistes
- À ce grand niais d'alexandrin

608. Comment meurt Julie, dans *La Nouvelle Héloïse* de Jean-Jacques Rousseau ?

- En se suicidant
- En sauvant son enfant de la noyade
- De chagrin

609. Ce descendant de Pic de La Mirandole a écrit : « Les vertus se perdent dans l'intérêt comme les fleuves se perdent dans la mer. » De qui s'agit-il ?

- Vauvenargues
- La Bruyère
- La Rochefoucauld

610. Comment s'appelle l'écrivain dont le personnage s'envole du manuscrit, emporté par une rafale de vent, dans *Le vol d'Icare* de Raymond Queneau ?

- Turandot
- Hubert Lubert
- Joachim d'Auge

611. Cet écrivain du XIXe siècle eut cette formule fameuse pour définir le roman : « Un miroir qui se promène sur une grande route. » De qui s'agit-il ?

- Flaubert
- Stendhal
- Hugo

612. Combien de temps dure une représentation intégrale du *Soulier de satin* de Paul Claudel ?

- À peu près onze heures
- À peu près trois heures
- À peu près six heures

613. Comment s'appelle l'héroïne d'*Eugène Onéguine* d'Alexandre Pouchkine ?

- Tatiana
- Anna
- Vera

614. Comment s'appelle le médecin de *La Comédie humaine* qu'Honoré de Balzac agonisant appela à son chevet ?

- Lucien de Rubempré
- Horace Bianchon
- César Birotteau

615. Comment s'appelle l'héroïne de *Désert* de J.-M. G. Le Clézio ?

- Esther
- Nedjma
- Lalla

616. Complétez cette contrepèterie : « La magie des boules ne serait rien sans la bougie… … » et donnez-en l'auteur :

- Robert Desnos
- René Char
- Jean Tardieu

617. Comment s'appelle la fiancée de Mithridate, héros tragique de Jean Racine ?

- Éponine
- Monime
- Alamine

618. Comment s'appelle l'héroïne de *La porte étroite* d'André Gide ?

- Alissa
- Maria
- Madeleine

619. Complétez cet alexandrin célèbre de José Maria de Heredia : « Comme un vol de gerfaut… »

- … hors du panier natal »
- … hors du foyer natal »
- … hors du charnier natal »

620. Comment s'appelle le personnage de Pascal Quignard qui part se cacher dans *Villa Amalia* ?

- Coline Chérie
- Ann Hidden
- Iseut Suter

621. Dans quel village des Cévennes, faisant partie des Justes pour avoir sauvé des juifs, Albert Camus et Francis Ponge se retrouvent-ils pendant la Seconde Guerre mondiale ?

- À Nevers
- À Vitré
- Au Chambon-sur-Lignon

622. Complétez cet alexandrin de Racine que Phèdre, dans la pièce qui porte le même nom, prononce à l'acte I, scène 3 : « Dieux ! Que ne suis-je assise… »

- … sur un trône de chêne »
- … à l'ombre des forêts »
- … à l'orée d'un bosquet »

623. Comment s'appelle le personnage de *Paludes* d'André Gide, dont le nom fait référence aux *Bucoliques* de Virgile ?

- Mentor
- Tityre
- Mécène

624. Dans quelle ville Voltaire finit-il ses jours ?

- La Rochelle
- Ermenonville
- Ferney

625. Complétez cette phrase de Michel de Montaigne qui traduit l'ambition des *Essais* : « Je ne peins pas l'être, je peins le…

- … passage »
- … néant »
- … naufrage »

626. Comment s'appelle le Sherlock Holmes des Belges, inventé par Jean Ray ?

- Samuel Harrold
- Harry Dickson
- Peter Moncko

627. De qui est cet alexandrin : « Le manche de mon fouet est un saucisson d'Arles » ? Dans quelle œuvre apparaît-il ?

628. Dans *Arthur et George* de Julian Barnes, George est le fils d'un pasteur du Staffordshire. Mais qui est Arthur ?

- Arthur Conan Doyle
- Arthur Miller
- Arthur Rimbaud

629. De qui est le roman *Latréaumont*, qui inspira son pseudonyme à l'auteur des *Chants de Maldoror* ?

- Théophile Gautier
- Eugène Sue
- Ponson du Terrail

630. Complétez les deux derniers vers de la *Prière pour être simple* de Francis Jammes : « Laissez-moi, ô mon Dieu, continuer la vie / D'une façon aussi simple... »

- ... que naturelle »
- ... qu'il est possible »
- ... que modérée »

631. Dans *Au Bonheur des Dames* d'Émile Zola, « Pépé » est un membre de la famille de Denise, l'héroïne du roman. Qui est-il ?

- Son père
- Son frère
- Son grand-père

632. De qui Virginia Woolf était-elle la petite-nièce ?

- De la photographe Julia Margaret Cameron
- Du peintre Dante Gabriel Rossetti
- Du poète Alfred Tennyson

633. D'où André Gide a-t-il tiré le titre de *La porte étroite* ?

- De l'*Iliade*
- Des *Misérables* de Victor Hugo
- De l'Évangile de Luc

634. Dans *Belle du seigneur*, d'Albert Cohen, en quoi se déguise Solal pour séduire Ariane ?

- En prince oriental
- En vieillard
- En poète maudit

635. Il a écrit *Waltenberg*, un roman-fleuve qui embrasse le XXe siècle, Goncourt du premier roman. De qui s'agit-il ?

- Shan Sa
- Hédi Kaddour
- Laurent Binet

636. Dans *Arrachez les bourgeons, tirez sur les enfants* de Kenzaburô Ôé, quelle tâche attend les enfants à leur arrivée au village ?

- Enterrer des animaux morts
- Travailler aux champs
- Récurer les bains

637. Dans *Corniche Kennedy* de Kérangal, la bande d'adolescents qui plongent de la corniche est sous la surveillance du chef de la sécurité. Comment s'appelle-t-il ?

- Sylvestre Bonnard
- Sylvestre Opéra
- Sylvestre Mouret

638. Il suffit d'une nuit pour qu'il jette dans *La ronde de l'amour Les trois grosses dames d'Antibes.* De qui s'agit-il ?

- F. Scott Fitzgerald
- Aimé Césaire
- Somerset Maugham

639. Dans cette tragédie racinienne, les deux héros antiques représentent Louis XIV et Henriette d'Angleterre qui, quoique épris l'un de l'autre, durent se séparer. Quelle est cette pièce ?

- *Phèdre*
- *Bérénice*
- *Andromaque*

640. Dans *Diego et Frida* de Le Clézio, l'héroïne est le peintre Frida Kahlo, mais quel est le patronyme de Diego ?

- Sancha
- Lopez
- Rivera

641. Il voulait que son épitaphe, composée en italien de son vivant, rappelât qu'il avait adoré « Cimarosa, Mozart et Shakespeare ». De quel romancier s'agit-il ?

- Stendhal
- Émile Zola
- Honoré de Balzac

642. Dans *Composition française*, Mona Ozouf explique s'être réconciliée avec son prénom grâce à un récit de Julien Gracq dont le personnage féminin est ainsi prénommé : quel est ce récit ?

- *Le rivage des Syrtes*
- *Un balcon en forêt*
- *Au château d'Argol*

643. Dans *Huis clos* de Jean-Paul Sartre, les personnages féminins du trio sont Inès et Estelle, mais comment se nomme le personnage masculin ?

- Garcin
- Colin
- Mascard

644. Dans *Entre ciel et terre* de l'islandais Jón Kalman Stefánsson, quel livre absorbe le pêcheur Barour et causera sa perte ?

- La Bible
- *Le Paradis perdu* de John Milton
- *Nana* de Zola

645. Jules Verne a réécrit *Les Cinq Cents Millions de la Bégum* d'un écrivain membre de la Commune puis déporté en Nouvelle-Calédonie. Qui a écrit la première version ?

- Jean Lechouet
- Arthur Manian
- Pascal Grousset

646. Dans *La leçon* d'Eugène Ionesco, comment se termine le cours particulier entre le professeur et son élève ?

- Par un claquement de porte
- Le professeur tue l'élève
- Par la démission du professeur

647. L'auteur d'*Une vieille maîtresse* écrivit également sur la figure du dandy en l'associant à celle de George Brummell. De qui s'agit-il ?

- Oscar Wilde
- Charles Baudelaire
- Jules Barbey d'Aurevilly

648. Dans *La Légende de saint Julien l'Hospitalier* de Gustave Flaubert, Julien a une passion qu'il ne peut plus contrôler. De quoi s'agit-il ?

- De la pêche
- Des jeux d'argent
- De la chasse

649. Dans *La Divine Comédie* de Dante, où se trouve Francesca da Rimini ?

- En enfer
- Au purgatoire
- Au paradis

650. L'une des devises favorites de Voltaire, avec laquelle il signait parfois ses lettres, était « Écrasons l'infâme ! » Mais que désignait-il par ce terme ?

- La monarchie
- L'intolérance
- Dieu

651. Dans le *Lai de Milon* de Marie de France, les deux amants ne peuvent se voir ni se parler pendant vingt ans. Quel est le messager de leur désir ?

- Un cygne
- Une colombe
- Une oie blanche

652. Dans la saga des *Thibault* de Roger Martin du Gard, quelle profession exerce l'aîné des deux frères et comment s'appelle-t-il ?

- Avocat, Pierre
- Médecin, Antoine
- Prêtre, Jacques

653. Le fameux éditeur Pierre-Jules Hetzel a écrit des romans populaires tels que *Maroussia* ou *Les Patins d'argent.* Sous quel pseudonyme publiait-il ?

- Pierre-Jules Stahl
- Jules-Pierre Zeltelh
- Jean-Paul Stelh

654. Dans lequel de ces trois ouvrages le poète contemporain Yves Bonnefoy dialogue-t-il avec des œuvres d'art ?

- *Pierre écrite*
- *Les planches courbes*
- *L'arrière-pays*

655. Dans *La Storia* d'Elsa Morante, comment s'appelle le personnage le plus émouvant ?

- Useppe
- Ugo
- Léon

656. Marivaux fut dramaturge, romancier, mais également journaliste. Quel périodique a-t-il créé ?

- *Le Spectateur français*
- *Le Mercure de France*
- *La Revue des Deux Mondes*

657. Dans *Les cavaliers,* Joseph Kessel raconte comment les tchopendoz s'adonnent au bouzkachi. De quoi s'agit-il ?

- D'exercices de voltige équestre
- D'un jeu avec une carcasse de mouton
- De cavaliers toréant un bouc

658. Né à Nîmes en 1840, j'ai été le secrétaire du duc de Morny et l'ami de Frédéric Mistral. Zola a prononcé mon oraison funèbre. Qui suis-je ?

- Alphonse Allais
- Alphonse Daudet
- Joris-Karl Huysmans

659. Dans les *Essais*, Montaigne fait l'apologie d'un humaniste catalan du XVe siècle. Quel est son nom ?

- Georges Lefoix
- Michel Proter
- Raymond Sebond

660. Dans *Le complot contre l'Amérique*, Philip Roth imagine qu'en 1940 un autre homme que Roosevelt est président des États-Unis, mais qui ?

- Staline
- Charles Lindbergh
- Frank Sinatra

661. Où se situe le château des Rochers, marqué par la présence de l'épistolière marquise de Sévigné ?

- À Vitré
- À Vitry
- À Grignan

662. Dans *Les Hauts de Hurlevent*, l'histoire est racontée par une narratrice, témoin du drame sans y avoir été directement mêlée. Comment s'appelle-t-elle ?

- Isabelle Linton
- Nelly Dean
- Catherine Earnshaw

663. Dans le roman *Midi, la nuit* de Marc Baconnet, quelle est la particularité de l'héroïne ?

- Elle est aveugle
- Elle est insomniaque
- Elle est ambidextre

664. Philippe Noiret m'incarna au cinéma, Placido Domingo sur les scènes d'opéra. Qui suis-je ?

- Dante
- Fernando Pessoa
- Pablo Neruda

665. Dans quel pays se déroule *Zulu*, le roman noir de Caryl Ferey ?

- Le Congo
- La Mauritanie
- L'Afrique du Sud

666. Dans *Le siècle des Lumières*, Alejo Carpentier s'attache à un personnage qui a émancipé la Guadeloupe de l'esclavage. De qui s'agit-il ?

- Victor Schœlcher
- Victor Hugues
- Victor Considérant

667. Philippe Sollers n'a pas écrit la biographie d'un de ces personnages. Lequel ?

- Stendhal
- Vivant Denon
- Casanova

668. Dans quel roman anglais du XVIIIe siècle l'auteur a-t-il laissé une page entièrement noire après la mort de l'un des personnages ?

- *Le Moine* de M. G. Lewis
- *Tristram Shandy* de Laurence Sterne
- *Robinson Crusoé* de Daniel Defoe

669. Dans *Le soulier de satin* de Paul Claudel, elle donne son soulier à la Vierge Marie pour ne s'élancer vers le mal que d'un « pied boiteux ». De qui s'agit-il ?

- Chimène
- Dona Prouhèze
- Ysé

670. Protestant, ses *Tragiques* relatent les horreurs des guerres de Religion. De qui s'agit-il ?

- J.-H. Rosny Aîné
- Pierre de Ronsard
- Théodore Agrippa d'Aubigné

671. Dans quel roman de Vladimir Nabokov le héros tombe-t-il amoureux de sa sœur ?

- *Lolita*
- *Ada*
- *La vraie vie de Sebastian Knight*

672. Dans le titre d'un de ses romans, à qui William Faulkner dit-il de descendre ?

- Isaac
- Moïse
- Amos

673. Qu'a fait Thomas Bernhard avec l'argent du prix Julius Campe obtenu en 1964 ?

- Il a acheté une voiture de luxe qu'il a accidentée
- Il l'a refusé
- Il l'a brûlé

674. Dans quel roman Drieu la Rochelle écrit-il : « Les femmes et les hommes sont faits pour rire, danser, s'abandonner aux jours. Il faut être infirme pour se refuser à la facilité de vivre » ?

- *Le feu follet*
- *Rêveuse bourgeoisie*
- *Gilles*

675. Dans *Le tombeau de Tommy* d'Alain Blottière, qui est Tommy ?

- Un trompettiste de jazz
- Un héros de la Résistance
- Un enfant

676. Quel auteur a parfois signé Louis-Alexandre Bombet ou Anastase de Serpière ?

- Stendhal
- Honoré de Balzac
- Alexandre Dumas

677. Dans quel roman rencontre-t-on une troupe de comédiens arrêtée au Mans ?

- *Le Roman comique* de Scarron
- *L'Histoire comique de Francion* de Sorel
- *L'Illusion comique* de Corneille

678. Dans *Les 400 coups*, film de François Truffaut, Antoine Doinel sèche l'école pour lire un roman d'Honoré de Balzac. Lequel ?

- *Illusions perdues*
- *La Recherche de l'absolu*
- *La Peau de chagrin*

679. Quel auteur ne participa pas, en 1880, aux *Soirées de Médan*, publication collective organisée autour d'Émile Zola ?

- Joris-Karl Huysmans
- Edmond de Goncourt
- Guy de Maupassant

680. Dans quelle pièce de Valère Novarina ces personnages figurent-ils : Le E muet, devenant L'Homme d'Outre-ça, Clytophon, L'Homme Sang, L'Infini Romancier ?

- *L'inquiétude*
- *L'opérette imaginaire*
- *Le drame de la vie*

681. Dans *Mort d'un silence*, Clémence Boulouque évoque son enfance et la disparition de son père. Quel était son métier ?

- Cinéaste
- Juge
- Psychanalyste

682. Quel auteur Voltaire prétend-il traduire lorsqu'il publie *Candide* ?

- Le Docteur Field
- Le Docteur Thunder
- Le Docteur Ralph

683. Dans quelle ville d'Europe de l'Est commence *La promesse de l'aube* de Romain Gary ?

- Vilnius
- Prague
- Budapest

684. Dans quel passage — qui porte bien son nom — habite Ferdinand, personnage central de *Mort à crédit* de Céline ?

- Le passage des Imposteurs
- Le passage des Bérésinas
- Le passage des Carabistouilles

685. Quel chef de file du Front populaire a scandalisé avec *Du mariage* qui recommandait aux femmes les expériences préconjugales ?

- Jean Zay
- Léo Lagrange
- Léon Blum

686. Dans *Semper Augustus*, Olivier Bleys s'attache à ce qui est considéré comme la première bulle spéculative européenne. Semper Augustus désigne un objet qui atteignit des sommes folles avant que son cours ne s'effondre. De quoi s'agit-il ?

- Du blé
- D'une tulipe
- Du chocolat

687. Dans quel quartier de New York, qu'on retrouve dans le sous-titre de *Bartleby*, travaille le personnage créé par Herman Melville ?

- Wall Street
- Le Bronx
- Greenwich Village

688. Quel écrivain de romans policiers est entré dans la collection de la Pléiade en 2003 ?

- Georges Simenon
- Boileau-Narcejac
- Fred Vargas

689. Dans son roman autobiographique *David Copperfield*, Charles Dickens règle ses comptes avec son père. De quelle façon ?

- Il le fait mourir dès les premières pages
- Il lui dit tout ce qu'il pense
- Il le fait emprisonner dès les premières pages

690. Dans *Quoi de neuf sur la guerre ?* de Robert Bober, les parents de l'ami de Raphaël ont été déportés. Cet ami porte le prénom de l'écrivain avec lequel Bober a réalisé *Récits d'Ellis Island*. Quel est-il ?

- André
- Georges
- Samuel

691. Quel écrivain fut enlevé par les barbaresques et retenu prisonnier cinq ans à Alger ?

- Calderón de la Barca
- Pietro Paolo Tavera
- Miguel de Cervantès

692. Dans *Une maison pour Monsieur Biswas* de Naipaul, quel signe présage l'arrivée imminente du malheur ?

- L'éruption d'un volcan
- Un éternuement du narrateur
- Le son d'un carillon

693. Dans ses romans policiers, Gilbert Keith Chesterton a imaginé un original personnage d'ecclésiastique enquêteur. Quel est son nom ?

- Le Père Brown
- Le Pasteur Green
- Le Révérend White

694. Qui est l'auteur de *Macbett* ?

- Michel Vinaver
- Samuel Beckett
- Eugène Ionesco

695. De quelle lettre la dernière pièce du puzzle que Bartlebooth tient entre ses mains lorsqu'il est retrouvé mort dans *La vie mode d'emploi* de Georges Perec a-t-elle la forme ?

- D'un A
- D'un W
- D'un Z

696. Dans *Si le grain ne meurt*, quel accessoire le jeune André Gide doit-il porter à la ceinture au cours de la première fête costumée à laquelle il est invité ?

- Un sabre
- Une casserole
- Un sifflet

697. Quel est le lien de parenté entre Mme de Maintenon, dernière épouse de Louis XIV, Paul Scarron et Agrippa d'Aubigné ?

- Fille de d'Aubigné et sœur de Scarron
- Nièce de d'Aubigné et petite-fille de Scarron
- Petite-fille de d'Aubigné et épouse de Scarron

698. De quelle œuvre de Diderot Robert Bresson s'inspire-t-il pour son film *Les dames du bois de Boulogne* ?

- *Le Neveu de Rameau*
- *La Religieuse*
- *Jacques le fataliste et son maître*

699. Quel est le nom de Mme de Sévigné ?

- Marie de Rabutin-Chantal
- Marie-Madeleine Pioche de La Vergne
- Sophie Rostopchine

700. De quel écrivain et poète le personnage d'Archibald Olson Barnabooth est-il le double ?

- Blaise Cendrars
- Valery Larbaud
- Guillaume Apollinaire

701. Quel est le point commun entre les auteurs Alberto Caeiro, Alexander Search et Ricardo Reis ?

- Ils sont orphelins
- Ce sont les pionniers du Nouveau Roman au Portugal
- Ce sont trois des nombreux pseudonymes de Fernando Pessoa

702. En 1949, le critique littéraire Pascal Pia présenta publiquement le manuscrit de *La Chasse spirituelle.* Pourquoi cette annonce provoqua-t-elle un émoi considérable ?

- Ce texte était jugé hérétique
- Il s'agirait d'un texte perdu d'Arthur Rimbaud
- C'était du plagiat

703. De quel mousquetaire le vicomte de Bragelonne est-il le fils dans le roman d'Alexandre Dumas qui porte son nom ?

- Porthos
- Athos
- Aramis

704. Quel est le seul écrivain à avoir reçu deux fois le prix Goncourt ?

- Romain Gary
- Julien Gracq
- Jean-Paul Sartre

705. Hermann Broch a écrit un roman sur les dernières heures d'un auteur de l'Antiquité. De qui s'agit-il ?

- Eschyle
- Suétone
- Virgile

706. Quel est le sous-titre du *Soulier de satin* de Paul Claudel ?

- « Le destin n'est jamais sûr »
- « Le pire n'est pas toujours sûr »
- « Où est passée ma chaussure ? »

707. En 2003, Laurence Cossé a appelé un de ses romans *Le 31 du mois d'août* en référence à un événement particulier. Lequel ?

- La mort de Lady Di, le 31 août 1997
- Une éclipse totale du Soleil
- La fin des jeux Olympiques de Sydney

708. Laquelle de ces trois œuvres n'évoque pas la figure de Julien Gracq ?

- *Le déjeuner des bords de Loire* de Le Guillou
- *Exercices d'admiration* de Cioran
- *Par amour de l'art* de Debray

709. Laquelle de ces couleurs Gustave Flaubert n'utilise-t-il jamais pour décrire les yeux de Mme Bovary ?

- Bleu foncé
- Brun
- Vert

710. Quel nom belliqueux s'étaient d'abord choisi les poètes de la Pléiade ?

- La Fusillade
- La Brigade
- L'Attaque

711. GDLCAL YNVHR RRG OLBMDTMQCVQLL NDIDIPA VLIBLXOF : ce titre est celui d'un livre de quelle bibliothèque infinie ?

- La Bibliothèque éternelle
- La Bibliothèque aux échelles
- La Bibliothèque de Babel

712. Le nom de la chaîne de cafés Starbucks s'inspire d'un personnage de fiction. Dans quel roman le voit-on ?

- *Moby Dick* de Melville
- *Des souris et des hommes* de Steinbeck
- *Portnoy et son complexe* de Roth

713. Quel poète du XXe siècle a commencé son *Traité du style* par : « Faire en français signifie chier » ?

- Paul Éluard
- Raymond Queneau
- Louis Aragon

714. La modernité de l'écriture poétique de Clément Marot se constitue en gagnant une autonomie vis-à-vis de quelle tradition poétique ?

- Le roman courtois
- Les grands rhétoriqueurs
- Le pétrarquisme

715. Lequel de ces dieux est favorable à la chute d'Ilion dans l'*Iliade* d'Homère ?

- Héra
- Apollon
- Aphrodite

716. Quel poète français, fait prisonnier à Azincourt et longtemps emprisonné en Angleterre, a écrit ces mots : « Le monde est ennuyé de moi, / Et moi pareillement de lui » ?

- Charles d'Orléans
- Joachim du Bellay
- Pierre de Ronsard

717. *Le Carrosse du Saint-Sacrement* de Mérimée a inspiré un célèbre opéra-bouffe de Jacques Offenbach. Lequel ?

- *Le Docteur Ox*
- *La Vie parisienne*
- *La Périchole*

718. Lequel de ces pouvoirs magiques ne possède pas Bayard, le cheval des quatre fils Aymon ?

- Sauter très loin
- Devenir lion
- S'allonger pour les porter tous

719. Quel poète né en 1899, auteur du recueil *La nuit remue,* souhaitait « être agréé comme plante verte » ?

- Henri Michaux
- Robert Desnos
- Pierre Reverdy

720. Le majordome des *Vestiges du jour* de Kazuo Ishiguro est au service de Lord Darlington. Sur quoi porte la conférence que ce dernier organise en 1922 ?

- Les taux de change
- La remilitarisation de l'Allemagne
- L'Irlande

721. Madame Rosa est un personnage de Romain Gary/Émile Ajar, mais qui a créé Madame Rose ?

- Joseph Kessel
- Colette
- Michel Déon

722. Nombreux sont les personnages littéraires — Tartuffe, Harpagon, Don Juan… — devenus noms communs. Un certain Pipelet a donné pipelet/pipelette. Qui était-ce ?

- Un boucher dans *L'Assommoir* de Zola
- Un valet de *Labiche*
- Un concierge des *Mystères de Paris* de Sue

723. Quelle actrice, créatrice du rôle de Kitty Bell dans *Chatterton,* fut la maîtresse d'Alfred de Vigny, et, accessoirement, celle d'Alexandre Dumas ?

- Laure Labay
- Marie Dorval
- Ida Ferrier

724. *Le roi des Aulnes* de Michel Tournier, Goncourt 1970, tient son titre d'un poème allemand dont le premier vers est « Qui chevauche si tard dans la nuit et le vent ? ». Quel en est l'auteur ?

- Goethe
- Heinrich Heine
- Thomas Mann

725. Par quel prénom « Madeleine » fut-il remplacé par André Gide sur les épreuves de *Si le grain ne meurt* ?

- Isabelle
- Emmanuèle
- Corinne

726. Quelle héroïne de l'histoire de France est apparentée à Pierre Corneille ?

- Louise Michel
- Jeanne Hachette
- Charlotte Corday

727. *Pola X* est le film de Léos Carax adapté de *P… ou Les Ambiguïtés* de Melville, P étant l'initiale du prénom du héros. Comment se prénomme-t-il ?

- Pierre
- Paul
- Perceval

728. Quelle poétesse américaine affectionne les tirets et les capitales en cours de phrase ?

- Leonie Adams
- Emily Dickinson
- Sara Teasdale

729. Pendant quelle guerre se situe le roman de Philip Roth, *Indignation* ?

- Vietnam
- Corée
- Irak

730. Pour quelle raison Jacques Thibault, héros des *Thibault* de Roger Martin du Gard, se lance-t-il dans une entreprise suicidaire à la fin du roman ?

- Pour éviter les dettes
- Pour un chagrin d'amour
- Pour défendre la cause pacifiste

731. Pourquoi les narrateurs des *Contes de Canterbury* de Geoffrey Chaucer se rendent-ils à Canterbury ?

- Ils vont en pèlerinage sur la tombe de saint Thomas Becket
- Ils vont dans le château familial
- Ils font une enquête

732. Pour quelle raison Lily Bart, l'héroïne de *Chez les heureux du monde* d'Edith Wharton, se suicide-t-elle à la fin du roman ?

- Pour un chagrin d'amour
- Elle est pauvre après avoir remboursé une dette
- Elle a été déshonorée

733. Qui a écrit cet alexandrin mélancolique : « Je suis un vieux boudoir plein de roses fanées » ?

- Paul Verlaine
- Charles Baudelaire
- Jean Moréas

734. Qu'est-ce que l'aleph chez Jorge Luis Borges ?

- Le sommet des montagnes
- Une région lunaire
- Un point de l'espace qui contient tous les autres

735. Qui a écrit son autobiographie en vers, intitulée *Chêne et chien* ?

- Raymond Queneau
- Victor Hugo
- Pétrarque

736. Qu'évoque Apollinaire lorsqu'il écrit : « Et les roses de l'électricité s'allument dans le jardin de ma mémoire » ?

- Les yeux brillants de ses amantes
- Le souvenir des enseignes lumineuses, symbole de la modernité, qui trouent la nuit dans la ville
- Des grandes douleurs comme les épines d'une rose

737. Quel est le nom de ces jeunes gens qui dans *La Divine Comédie* de Dante sont saisis par un amour interdit en lisant un roman de chevalerie ?

- Pablo et Lara
- Francesco et Clara
- Paolo et Francesca

738. Qui a écrit une pièce intitulée *Regrets sur ma vieille robe de chambre* en 1772 ?

- Denis Diderot
- Fontenelle
- Jean-Jacques Rousseau

739. Quel écrivain confie à son journal, en 1897 : « J'ai mal aux idées. Mes idées sont malades, et je n'ai pas honte de ce mal secret. Je n'ai plus aucun goût, non seulement au travail, mais à la paresse. Aucun remords de ne rien faire. Je suis las comme un qui aurait fait le tour des astres. Je crois que j'ai touché le fond de mon puits » ?

- Henri-Frédéric Amiel
- Edmond de Goncourt
- Jules Renard

740. Quel est le nom de famille de la Cassandre qu'a chantée Ronsard ?

- Mariani
- Bianchi
- Salviati

741. Qui a fondé chez Gallimard la collection L'Aube des peuples ?

- Philippe Sollers et Dominique Rolin
- Raymond Queneau et Jean Paulhan
- Jean Grosjean et J.-M. G. Le Clézio

742. Quel est le point commun entre *Le Songe d'une nuit d'été* de Shakespeare, *L'Impromptu de Versailles* de Molière et *Six Personnages en quête d'auteur* de Pirandello ?

- Il y a six personnages
- La mise en abyme
- Il y a un fantôme

743. Quel est le nom de l'amante anglaise de Marguerite Duras ?

- Claire Lannes
- Lucie Laine
- Emilie Brisbane

744. Qui est cet écrivain russe, auteur d'*Enfance*, de *La mère* ou des *Bas-fonds* ?

- Maxime Gorki
- Léon Tolstoï
- Fiodor Dostoïevski

745. Quel livre de Mérimée raconte une vendetta entre les familles Della Rebbia et Barricini ?

- *Mateo Falcone*
- *Colomba*
- *La Vénus d'Ille*

746. Quel est le prénom de Gulliver dans le roman de Jonathan Swift ?

- Sam
- Samuel
- Lemuel

747. Qui est l'auteur de *L'Edda*, ce recueil poétique de mythologie nordique rédigé en islandais ancien au début du XIIIe siècle ?

- Halldór Laxness
- Snorri Sturluson
- Jón Kalman Stefánsson

748. Quel livre de Philippe Delerm se passe en partie à Skagen, dans le nord du Danemark ?

- *Ce voyage*
- *Sundborn ou Les jours de lumière*
- *La petite chartreuse*

749. Quel est le prénom de la femme célébrée par Pétrarque dans le *Canzoniere* ?

- Laure
- Hélène
- Ilda

750. Qui est l'auteur de la nouvelle *L'angélus* qui commence ainsi : « Je suis un musicien sans importance » ?

- Richard Millet
- Pierre Bergounioux
- François-Régis Bastide

751. Quel roman de Patrick Modiano commence ainsi : « Il y a huit ans, dans un vieux journal, *Paris-Soir*, qui datait du 31 décembre 1941, je suis tombé à la page trois sur une rubrique : “D’hier à aujourd’hui” » ?

- *Livret de famille*
- *Dora Bruder*
- *Catherine Certitude*

752. Quel est le prénom du baron de Charlus dans *À la recherche du temps perdu* de Marcel Proust ?

- Octave
- Robert
- Palamède

753. Qui est l’auteur des *Détectives sauvages* et de *2666*, publié à titre posthume ?

- L’écrivain péruvien et espagnol Mario Vargas Llosa
- L’écrivain chilien Pablo Neruda, mort en 1973
- L’écrivain chilien Roberto Bolaño, mort en 2003

754. Quel roman de Richard Millet met en scène une jeune Libanaise, réfugiée dans le Limousin ?

- *La gloire des Pythre*
- *Le sommeil sur les cendres*
- *Cœur blanc*

755. Quel lien unit Antigone à Créon dans l'œuvre de Sophocle ?

- Créon est à la fois son oncle et le père de son fiancé
- Créon est son père
- Créon est son frère

756. Qui fait dire à Mme de Perleminouze : « J'étais moi-même très, très vitreuse ! Mes trois plus jeunes tourteaux ont eu la citronnade, l'un après l'autre. Bref, je n'ai pas eu une minette à moi » ?

- Alfred Jarry
- Jean Tardieu
- Raymond Queneau

757. Quel roman Jean Cocteau écrit-il en dix-sept jours ?

- *Thomas l'imposteur*
- *Le livre blanc*
- *Les enfants terribles*

758. Quel personnage de Balzac apparaît pour la première fois dans *Illusions perdues* et se suicide dans *Splendeurs et misères des courtisanes* ?

- Horace Bianchon
- Ernest de Restaud
- Lucien de Rubempré

759. Qui Italo Svevo eut-il comme professeur d'anglais à l'école Berlitz de Trieste ?

- Samuel Beckett
- James Joyce
- Aldous Huxley

760. Quel roman russe commence par cette phrase : « Tous les bonheurs se ressemblent, mais chaque infortune a sa physionomie particulière » ?

- *Anna Karénine* de Tolstoï
- *Les Frères Karamazov* de Dostoïevski
- *Les Âmes mortes* de Gogol

761. Quel personnage de roman américain a failli s'appeler Trimalcion, référence au parvenu du *Satiricon* de Pétrone ?

- Santiago d'Hemingway
- Bartleby de Melville
- Gatsby de Scott Fitzgerald

762. Qui publie *Le musée Grévin*, durant la Seconde Guerre mondiale, sous le pseudonyme de François La Colère ?

- René Char
- Albert Camus
- Louis Aragon

763. Quel texte de Valère Novarina compte 2 587 personnages ?

- *Je, tu, il*
- *Le drame de la vie*
- *L'opérette imaginaire*

764. Qui se cache sous le pseudonyme de Vercors, l'auteur du *Silence de la mer,* en 1942 ?

- Louis Aragon
- René Char
- Jean Bruller

765. Quelle confession s'ouvre ainsi : « Pour écrire l'histoire de sa vie, il faut d'abord avoir vécu ; aussi n'est-ce pas la mienne que j'écris » ?

- Les *Confessions* de Rousseau
- *La Confession d'un enfant du siècle* de Musset
- Les *Mémoires d'outre-tombe* de Chateaubriand

766. Quelle est la dernière réplique de Caligula sous la plume d'Albert Camus ?

- « Je suis encore vivant »
- « Je suis encore debout »
- « Je suis encore devant »

767. Qui sont les deux auteurs du *Roman de la Rose* ?

- René Maréchal et Willem de Rolimet
- Maurice Labé et Paul de Cavan
- Guillaume de Lorris et Jean de Meung

768. Quelle nouvelle des *Diaboliques* de Jules Barbey d'Aurevilly fut adaptée à l'écran par Alexandre Astruc ?

- « Le Rideau cramoisi »
- « La Vengeance d'une femme »
- « Le Bonheur dans le crime »

769. Quelle est la particularité des personnages des *Burgraves*, la dernière pièce de Victor Hugo ?

- Ils sont aveugles
- Ce sont des vieillards à l'image du centenaire Job
- Ils sont immortels

770. Qui sont Théodecte, Pamphile ou Giton ?

- Des héros de Rabelais
- Des personnages d'Aristophane
- Des « caractères » de La Bruyère

771. Quelle œuvre d'Eugène Sue fut condamnée en 1857, la même année que *Madame Bovary* de Flaubert et que *Les Fleurs du mal* de Baudelaire ?

- *Les Mystères de Paris*
- *Les Mystères du Peuple*
- *Le Juif errant*

772. Quelle est la ville dont est originaire Fantasio, le jeune insouciant d'Alfred de Musset ?

- Munich
- Londres
- Florence

773. *Scandale aux abysses* et *Voyou Paul, brave Virginie* sont des arguments de ballets écrits par qui ?

- Céline
- Guillaume Apollinaire
- Alexandre Jardin

774. Quels prénoms Jean Giono a-t-il donnés aux deux membres du couple fraternel dans *Deux Cavaliers de l'orage* ?

- Martial et Michel
- Alphonse et Célestin
- Ange et Marceau

775. Selon les *Climats*, il entendait *Les silences du colonel Bramble* et *Les discours du docteur O'Grady*. De qui s'agit-il ?

- Pierre Daninos
- Maurice Leblanc
- André Maurois

776. Qui a écrit « La presse, c'est la parole à l'état de foudre ; c'est l'électricité sociale » ?

- Émile Zola
- François-René de Chateaubriand
- Jules Vallès

777. Qui crée le rôle de Lorenzaccio lors de la première représentation de la pièce en 1896 ?

- Réjane
- Sarah Bernhardt
- Jeanne Granier

778. Selon Michel de Montaigne, qu'est-ce qui est une « branloire pérenne » ?

- Le monde
- L'amour
- La justice

779. Qui a traduit le *Faust* de Goethe en 1828 ?

- Alfred de Musset
- Gérard de Nerval
- Prosper Mérimée

780. Qui inspira à Agrippa d'Aubigné un recueil de poèmes intitulé *Le Printemps* ?

- Louise Labé
- Diane Salviati
- Hélène de Surgère

781. Selon Paul Valéry, qui était le troisième mousquetaire avec André Breton et Louis Aragon ?

- Francis Picabia
- Philippe Soupault
- Jacques Prévert

782. Qui disparaît dans *Une mort très douce,* le récit de Simone de Beauvoir ?

- Sa mère
- Sa sœur
- Sa grand-mère

783. Son autobiographie, *Septentrion,* a été censurée et n'a été rééditée que vingt ans plus tard, en 1984. Qui est cet auteur sulfureux ?

- Bernard Noël
- Jean Genet
- Louis Calaferte

784. Répondez à cette question posée dans *Médée* de Corneille par la syllabe manquante pour achever cet alexandrin : « Dans un si grand revers que vous reste-t-il ? »

- « Rien »
- « Lui »
- « Moi »

785. Qui sont « Un » et « Deux » pour Roland Dubillard ?

- Les personnages des *Diablogues*
- Dieu et le diable
- Ses fils

786. Sur quels objets courants Rousseau écrivait-il parfois, en se promenant, ce qui deviendra les *Rêveries du promeneur solitaire* ?

- Des listes de courses
- Des cartes à jouer
- Des factures

787. Sur les marches de quelle église, Bel-Ami, à la fin du roman de Guy de Maupassant, pense-t-il à son élection à l'Assemblée nationale ?

- La Madeleine
- La Sainte-Trinité
- Notre-Dame de Paris

788. Qui, dans *Uranus* de Marcel Aymé, admire Racine et, de son bar, fait des vers comme « Passez-moi Astyanax, on va filer en douce, / N'attendons pas d'avoir les poulets à nos trousses » ?

- Marcel
- Jean
- Léopold

789. Une lorette est une jeune femme aux mœurs faciles, mais qui a écrit le roman *La Lorette* ?

- Jules et Edmond de Goncourt
- Marcel Aymé
- George Sand

790. Une seule de ces citations n'est pas d'Albert Camus. Laquelle ? Qui en est l'auteur ?

- « Si nous habitons un éclair, il est le cœur de l'éternel »
- « J'ai grandi dans la mer et la pauvreté m'a été fastueuse »
- « Je comprends ici ce qu'on appelle gloire : le droit d'aimer sans mesure »

791. Un de ces trois contes n'a pas été écrit par Voltaire. Lequel ?

- *À malin malin et demi*
- *Jeannot et Colin*
- *L'Homme aux quarante écus*

792. Son créateur a écrit à son propos : « Il est dans le monde comme quelqu'un qui va s'en aller. » De quel héros s'agit-il ?

- Solal
- Augustin Meaulnes
- Rhett Butler

793. Victor Hugo a grandi à l'ombre d'un couvent parisien dont la présence traverse toute son œuvre. Lequel ?

- Les Jacobins
- Les Cordeliers
- Les Feuillantines

794. Un seul récit d'Albert Camus a pour cadre une triste ville portuaire d'Europe du Nord. Lequel et laquelle ?

- *La peste*
- *La chute*
- *L'étranger*

795. Une de ces figures ne fait pas partie des « vies minuscules » de Pierre Michon. Qui est l'intrus ?

- Un garçon de ferme
- Un garde-barrière
- Un curé

Réponses

1. *Richard III* **2.** *Les Hauts de Hurlevent* **3.** Lancelot **4.** Une orange **5.** *Moby Dick* **6.** À Alice **7.** « Anne, ma sœur Anne, ne vois-tu rien venir ? » **8.** Knock **9.** … Virginie **10.** Scarlett O'Hara **11.** *Les Lettres de mon moulin* **12.** … Geppetto **13.** Durandal **14.** … Pécuchet **15.** … Jim **16.** … renard » **17.** Nicolas **18.** Réaliser les désirs de Raphaël **19.** Mamamouchi **20.** « Sésame ouvre-toi » **21.** … Rodrigue **22.** Brest **23.** Capitaine **24.** La fourmi **25.** Le mythe de Jonas **26.** … Iseut **27.** Parce qu'il est roux **28.** Winston Churchill **29.** Le professeur Moriarty **30.** Durant la préhistoire **31.** Il a une jambe de bois **32.** Italienne **33.** Le *Nautilus* **34.** Antoine de Saint-Exupéry **35.** Shéhérazade **36.** Le docteur Moreau **37.** Le Nouveau Roman (en particulier Alain Robbe-Grillet) **38.** Eugène de Rastignac **39.** En novlangue **40.** Quasimodo **41.** « Vous êtes mon lion, superbe et généreux ! » **42.** D'Henriette d'Angleterre **43.** Dom Juan **44.** Michel de Montaigne **45.** Le maître **46.** Jean-Jacques Rousseau **47.** *Ubu Roi* d'Alfred Jarry **48.** Blaise Pascal **49.** L'Afrique et l'Amérique **50.** À Don Quichotte **51.** Franz Kafka **52.** Aux échecs **53.** Harry Potter **54.** Émile Zola **55.** Aux happy few **56.** Philippe Sollers **57.** Panurge **58.** Le roi Lear **59.** Le gueuloir **60.** Le théorème d'Archimède **61.** Ce sont des chats **62.** Patrick Modiano **63.** *Le ravissement de Lol V. Stein* **64.** … sanglots » **65.** Les fabliaux **66.** En classe **67.** Rossinante **68.** La Chine **69.** Philippe Soupault **70.** Son fantôme apparaît **71.** L'amour **72.** … mourir » **73.** Le Castor **74.** … rouges » **75.** … Mélisande

76. Béatrice **77.** … deux trous rouges au côté droit » **78.** Chez Tiffany **79.** Le *Chant des partisans* **80.** « Longtemps, je me suis couché de bonne heure » **81.** … Hyde **82.** … faire » **83.** … une seconde vie » **84.** Marguerite Gautier **85.** … une péninsule » **86.** À la Société des Nations **87.** Nora Helmer **88.** … les autres » **89.** Marguerite **90.** … creva » **91.** Belzébuth **92.** convulsive **93.** Un nénuphar **94.** Des Esseintes **95.** … comme un ostensoir » **96.** Phèdre **97.** Bardamu **98.** Le sud **99.** Madame Rosa **100.** « Familles, je vous hais » **101.** La jeune fille à la perle **102.** Le collier de la reine **103.** Nous nous vîmes trois mille en arrivant au port » **104.** Le dessin **105.** Les deux genres **106.** Une baleine blanche **107.** Apothicaire **108.** François Ier **109.** Berthe **110.** Petit Gibus **111.** *Le Mariage de Figaro* **112.** Pour devenir le précepteur de leurs enfants **113.** Matamore **114.** Louise Labé **115.** « Les Faux-Monnayeurs » **116.** Victor Hugo **117.** Étienne de La Boétie **118.** Elle attrape la vérole **119.** Wight **120.** Un empereur romain **121.** Elsa Triolet **122.** Oui, Goethe est né en 1749 et Montesquieu est mort en 1755 **123.** Sa laideur **124.** Le serviteur français du héros **125.** La Joconde **126.** L'amour **127.** Delphine et Marinette **128.** *L'Éducation sentimentale* **129.** *Les Aventures d'Oliver Twist* **130.** Mme Fichini **131.** J.-M. G. Le Clézio **132.** Se laver les mains **133.** Elsa Triolet **134.** *Le dîner de Babette* **135.** *Le Roman de Renart* **136.** Russe **137.** *Trois femmes puissantes* **138.** Julien Gracq **139.** *Le procès* **140.** Du thé **141.** Saintleger Perse **142.** En rhinocéros **143.** *La machine infernale* **144.** Carmen **145.** La Louisiane **146.** À Oxford **147.** Du jus de réglisse **148.** Elle boite **149.** À la tête **150.** Constance Bonacieux **151.** À Illiers-Combray **152.** Ozu **153.** Paul **154.** En Angleterre **155.** L'affaire Romand **156.** Italienne **157.** Diplomate **158.** *Suite française* **159.** Thérèse Desqueyroux **160.** *Le Malade imaginaire* **161.** Werther **162.** Égyptienne **163.** En provençal **164.** Don Quichotte **165.** « Femme qui pète n'est pas morte ! » **166.** La tauromachie **167.** Alfred de Musset **168.** … Le prince d'Aquitaine à la Tour abolie » **169.** Lautréamont **170.** *Double vie* de Pierre Assouline **171.** D'un âne **172.** François Rabelais **173.** Le « a » **174.** Cécile **175.** Mario Vargas Llosa **176.** Venise **177.** La duchesse de Langeais **178.** Vladimir Nabokov **179.** Le Christ de la paternité **180.** Victor Hugo **181.** La lucidité **182.** … *rit* **183.** Michel

Tournier **184.** Pilote de ligne **185.** « Eh bien ! dansez maintenant » **186.** *Zazie dans le métro* de Queneau **187.** Il est dans une boîte **188.** Sidonie-Gabrielle **189.** « ... sont sans retour » **190.** Elle se travestit en homme **191.** Tapissier **192.** Les Halles **193.** Un rat **194.** Jules **195.** Un sculpteur d'étoiles **196.** Lucrèce Borgia **197.** René Char **198.** Gustave Doré **199.** En enfer **200.** ... Abélard **201.** Espãna **202.** Dans une université américaine **203.** Son frère Théo **204.** Édouard Manet **205.** ... d'une langueur monotone » **206.** Général **207.** Victor Hugo **208.** Le travail **209.** Stéphane Mallarmé **210.** Deume **211.** Jean de La Fontaine **212.** Faire l'amour **213.** Ysengrin **214.** Écrivain **215.** Philip Marlowe **216.** Ils se prénomment Michel **217.** Malaussène **218.** Stendhal **219.** Les Thibault **220.** Sappho **221.** *La Sonate de Vinteuil* **222.** Le petit Chose **223.** Gulliver **224.** Marguerite Yourcenar **225.** Le quidditch **226.** Bartleby chez Melville **227.** L'ours et le singe **228.** La blanquette de veau **229.** Ubu **230.** Marguerite Duras **231.** Le *Lutétia* **232.** Gatsby le Magnifique **233.** Jean de La Fontaine **234.** Les Grands Magasins du Louvre **235.** Ingrid Caven **236.** Simone de Beauvoir **237.** Napoléon III **238.** Prostituée de haut vol **239.** George Orwell **240.** Reporter **241.** Musicien **242.** *Les Misérables* **243.** Raymond Radiguet **244.** Le parricide **245.** Une reine cruelle **246.** Charles Perrault **247.** *West Side Story* **248.** Figaro **249.** Jean-Jacques Rousseau **250.** Il sort du bagne **251.** *Sur la route* **252.** Son garde-chasse **253.** Pierre de Ronsard **254.** « Sans la liberté de blâmer, il n'est point d'éloge flatteur » **255.** Albertine **256.** Jean Cocteau **257.** Charles Perrault **258.** Alfred Döblin **259.** Paul Verlaine **260.** John Edgar Hoover **261.** Chrétien de Troyes **262.** Des Grieux **263.** Blaise Cendrars **264.** Louise de Coligny-Châtillon **265.** Jean Gabin **266.** Il était aveugle **267.** La comtesse de Ségur **268.** Louis XIV **269.** Gérard de Nerval **270.** Ruy Blas **271.** Voltaire **272.** Écrivent des scénarios de séries télévisées **273.** Vautrin **274.** Vernon Sullivan **275.** ... le kiki est au rikiki » **276.** Leporello **277.** Karen Blixen **278.** *Apocalypse now* **279.** Jean-Paul Sartre **280.** *Les mandarins,* de Beauvoir. **281.** Nucingen **282.** Curzio Malaparte **283.** À Palaiseau **284.** Allongé sur son divan **285.** Rebecca **286.** ... qui fussent dignes d'être valets ? » **287.** ... la petite tailleuse chinoise **288.** L'Académie française **289.** Une prêteuse sur gages **290.** Salomé **291.** Jane Austen **292.** Elle est analphabète **293.** Dutilleul **294.** L'Illustre Théâtre **295.** En Afghanistan **296.** Natacha **297.** *1984* d'Orwell **298.** L'éruption volcanique de la montagne Pelée **299.** *Portrait de l'artiste en jeune singe* de Michel Butor **300.** Parce qu'il est invisible **301.** Martin Eden **302.** Du théâtre **303.** Huckleberry Finn **304.** Arthur Rimbaud **305.** Mme de Maintenon **306.** *Ulysse* de James Joyce se situe tout entier ce jour-là **307.** D'amnésie **308.** Gaston Gallimard **309.** À l'attentat du World Trade Center, le 11 septembre 2001 **310.** Marguerite Duras dans *Écrire* **311.** Picrochole de Rabelais **312.** Roland pleurant Olivier **313.** À Darry Cowl **314.** Clémence Picot **315.** 7 000 ans **316.** Léon Werth **317.** Un oison duveté **318.** François de Malherbe **319.** « J'aime les préfaces » **320.** À son père **321.** Guillaume Apollinaire **322.** *Les raisins de la colère* **323.** François Villon **324.** Britannicus **325.** Après Roméo **326.** Jean-Claude Izzo, auteur de *Total Khéops*, premier tome de sa trilogie marseillaise **327.** Hérodias **328.** Louis Aragon (« La rose et le réséda », *Le paysan de Paris*) **329.** Trente-trois, désert **330.** L'amour-propre **331.** Jean Santeuil **332.** Molière **333.** D'une carte de visite laissée par une inconnue **334.** Guy Schoeller **335.** ... Chloé **336.** Pef **337.** En pétant **338.** Nathalie Sarraute **339.** ... blanc ou noir » **340.** De l'orgue à bouche de Huysmans **341.** Paul Claudel **342.** Les accords de Munich en 1938 **343.** Pondichéry **344.** Un haut fonctionnaire algérien **345.** Belgrade à Kaboul **346.** La môme Crevette **347.** Saint-Simon **348.** *À rebours* de Huysmans **349.** Léon Morin **350.** Albert Camus **351.** Le général de Gaulle **352.** Les yahoos **353.** Simone de Beauvoir **354.** Étretat **355.** H1 et H2 **356.** Auguste Poulet-Malassis **357.** Vincent Van Gogh **358.** Fiancés **359.** Sophie Volland **360.** Buchenwald **361.** Astyanax **362.** La nouvelle **363.** *Expiation* **364.** ... il faut partir » **365.** En lisant le journal **366.** West Egg **367.** Constitution et Parlement **368.** « ... des fleuves impassibles » **369.** *Le Chevalier de Maison-Rouge* **370.** Patrocle **371.** *La Marquise d'O...* **372.** Stendhal lui-même **373.** ... c'est là qu'est le génie ! » **374.** *Seul dans Berlin* **375.** Bourguignon **376.** « Mon amour si léger prend le poids d'un supplice. » **377.** *Finissez vos phrases !* **378.** Jacques Lacan **379.** Montevideo **380.** *Les séquestrés d'Altona* **381.** Universitaire **382.** Franz Kafka **383.**

Boléro de Ravel **384.** Puck **385.** *Histoire d'O* **386.** Le nom d'une famille **387.** Cidrolin et le duc d'Auge **388.** Pier Paolo Pasolini **389.** Oreste et Électre **390.** Marguerite Yourcenar **391.** Fleurville **392.** Pétrarque **393.** Jean Mermoz **394.** Les Valeureux **395.** Jonathan Littell (*Les bienveillantes*) **396.** Piano **397.** Une vingtaine **398.** Beaumarchais **399.** *L'amour fou* de Breton **400.** *La condition humaine* **401.** Paul Morand **402.** *Le mystère de la chambre jaune* de Leroux **403.** En Westphalie **404.** Son père **405.** De *La Dame aux camélias* **406.** Emmanuel Carrère **407.** Faust **408.** Sandro Botticelli **409.** Claude Adrien Helvétius **410.** Le malaise des cadres **411.** Grange **412.** Henry Miller **413.** Elle est dialoguée **414.** Jean Chapelain **415.** La maladie d'Alzheimer **416.** Gaspard Winckler **417.** Didier Daeninckx **418.** Il fait parler le sexe des femmes **419.** Mésa **420.** Maire de Bordeaux **421.** *Le père humilié* **422.** De la vengeance d'Edmond Dantès, devenu comte de Monte-Cristo **423.** Henri Bosco **424.** À conduire les condamnés **425.** Il ne supporte pas la solitude **426.** Ils étaient sourds **427.** Zaïre **428.** Des intellectuels parisiens **429.** Howard Hawks **430.** ... *de la fertilité* **431.** Des escargots **432.** *Les versets sataniques* de Rushdie **433.** Des paons **434.** Un trognon de chou **435.** La Finlande **436.** Salammbô **437.** Honoré de Balzac **438.** Il est amnésique **439.** Charles Dickens **440.** Chester Himes **441.** Émile Zola **442.** L'hérédité **443.** Aristophane **444.** Dans une diligence **445.** Mentor **446.** Eugène Labiche **447.** Dans la lagune de Venise **448.** *Critique de la raison pure* **449.** Le marquis de Sade **450.** Sur la place Saint-Marc à Venise **451.** Rama **452.** Yukio Mishima **453.** Dans un refuge clandestin de la Résistance **454.** François Ier **455.** Jack Vance **456.** Aimé Césaire **457.** Yachar Kemal **458.** Jean-Christophe Rufin **459.** Gérard Philipe **460.** Jacques Tardi **461.** Édith Piaf **462.** *Regain* **463.** Florence Delay **464.** Cantatrice **465.** Georges Simenon **466.** L'électricité **467.** Peter O'Toole **468.** André Malraux **469.** Faire du Shakespeare dans les fossés du Cotentin **470.** Gary Cooper **471.** Jean-Paul Sartre **472.** Un lion **473.** Du mezcal **474.** Jacques-Bénigne Bossuet **475.** Georges Braque **476.** André Gide **477.** Jean Genet **478.** Cyrano de Bergerac **479.** Charles Perrault **480.** William Faulkner **481.** Il tue sa mère **482.** Avocat **483.** Prostituée **484.** Eugène Ionesco **485.** Professeur d'anglais **486.** Luchino Visconti **487.** Nathan Zuckerman **488.** Michel Vinaver **489.** La guerre d'Algérie **490.** François de Seryeuse **491.** *Le Code civil* **492.** Contrôleur des douanes **493.** La Grande Dépression **494.** Vendeur de journaux **495.** Zadig **496.** Bérenger Ier **497.** Adonis **498.** Virgile **499.** Tristan **500.** Aimé Césaire **501.** *Pierre et Jean* **502.** Mouchette **503.** Lotte **504.** Tous deux sont nés dans l'actuelle Algérie **505.** … à laquelle le papier s'enflamme et se consume **506.** Dolorès **507.** « Je demeurai longtemps errant dans Césarée » (Antiochus dans *Bérénice*) **508.** Waterloo **509.** Gauguin est le petit-fils de Flora Tristan **510.** Aimer **511.** Sedan **512.** Vedette de la télévision **513.** Marie Laurencin **514.** Réécrire à l'identique le *Don Quichotte* de Cervantès **515.** Bouc émissaire **516.** Mishima **517.** Les morts s'y adressent aux vivants **518.** Solange et Claire **519.** « Plus de lumière ! » **520.** *Jacques le fataliste* de Diderot **521.** Bazin, Grimaud, Mousqueton, Planchet **522.** René de Obaldia **523.** *Une vie ordinaire* de Perros **524.** Le capitaine Flint **525.** Alfred Jarry **526.** Le quark **527.** Louki **528.** Victor Hugo **529.** Ferrare **530.** Un python **531.** Nicolas Boileau **532.** Un orang-outan **533.** Sa fille **534.** Chamfort **535.** Un perroquet **536.** Le prince Mychkine **537.** Jean-Jacques Rousseau **538.** Sonia Delaunay **539.** Théodore Géricault **540.** Romain Gary **541.** « Correspondances » **542.** Marthe et François **543.** « bruit » et « fureur », le roman de Faulkner s'appelle *Le bruit et la fureur* **544.** George Sand **545.** Dulcinée **546.** « Et les Muses de moi comme étranges s'enfuient » **547.** Jean Noir **548.** Ténébreux **549.** Julio Cortázar **550.** Le *Pequod* **551.** Robinson Crusoé **552.** La Génération perdue **553.** 1805-1820 **554.** Les Césars **555.** Ils sont passionnés d'aviron **556.** Andromaque **557.** Un chien **558.** « Qui ce matin avait déclose / Sa robe de pourpre au soleil » **559.** *Le cercle des Mahé* **560.** Colombine **561.** … terminé **562.** *L'enfant de la haute mer* **563.** Le Malin **564.** … un éclat de rire » **565.** Du Soudan **566.** *Les sept noms du peintre* (P. Le Guillou) **567.** Le Cancre **568.** Le haïku **569.** « Le Pot de terre et le Pot de fer » **570.** Ethan Frome **571.** D'Alembert **572.** Les *Essais* de Montaigne **573.** Il a creusé un tunnel **574.** Henry James **575.** En lui laissant emprunter son cercueil **576.** Gringalet **577.** Carlo Goldoni **578.** Ils font commerce des enfants **579.** Le genièvre **580.** Benjy **581.** Le lapin **582.** Les chevaliers de la

Table ronde **583.** *De l'inconvénient d'être né* **584.** Farigoule **585.** Ernst Theodor Amadeus **586.** Le baron de Münchhausen **587.** Elle est extraite des *Confessions* (des *Rêveries du promeneur solitaire*) **588.** Pyrrhus dans *Andromaque* **589.** Au père de Hugo, après la bataille de Waterloo **590.** François-Régis Bastide **591.** « Qui fut pour tout un peuple une nuit éternelle ! » à Céphise **592.** … Nicolette **593.** Louise de Vilmorin à Gaston Gallimard **594.** Hergé **595.** Mme de Bargeton **596.** Térence **597.** Jean-Paul Sartre **598.** Pierre Corneille dans *Horace* : « Voir le dernier Romain à son dernier soupir, / Moi seule en être cause et mourir de plaisir ! » **599.** À la lettre « A », en tissu rouge, que l'héroïne, Hester Prynne, doit porter sur la poitrine pour avoir commis un adultère **600.** Lecoq **601.** Marat **602.** À la tortue **603.** Robert de Saint-Loup **604.** Ibn Battûta **605.** À un œil-de-chat **606.** Ourika **607.** Au vieux dictionnaire **608.** En sauvant son enfant de la noyade **609.** La Rochefoucauld **610.** Hubert Lubert **611.** Stendhal **612.** À peu près onze heures **613.** Tatiana **614.** Horace Bianchon **615.** Lalla **616.** … des mâles » néé sous la plume de Robert Desnos. **617.** Monime **618.** Alissa **619.** … hors du charnier natal » **620.** Ann Hidden **621.** Au Chambon-sur-Lignon **622.** … à l'ombre des forêts ! » **623.** Tityre **624.** Ferney **625.** … passage » **626.** Harry Dickson **627.** Edmond Rostand, *dixit* Roxane dans *Cyrano de Bergerac* **628.** Arthur Conan Doyle **629.** Eugène Sue **630.** … qu'il est possible » **631.** Son frère **632.** De la photographe Julia Margaret Cameron **633.** De l'Évangile de Luc **634.** En vieillard **635.** Hédi Kaddour **636.** Enterrer des animaux morts **637.** Sylvestre Opéra **638.** Somerset Maugham **639.** *Bérénice* **640.** Rivera **641.** Stendhal **642.** *Un balcon en forêt* **643.** Garcin **644.** *Le Paradis perdu* de John Milton **645.** Pascal Grousset **646.** Le professeur tue l'élève **647.** Jules Barbey d'Aurevilly **648.** De la chasse **649.** En enfer **650.** L'intolérance **651.** Un cygne **652.** Médecin, Antoine **653.** Pierre-Jules Stahl **654.** *L'arrière-pays* **655.** Useppe **656.** *Le Spectateur français* **657.** Les tchopendoz (cavaliers afghans) doivent déposer une carcasse de bouc au centre d'un cercle **658.** Alphonse Daudet **659.** Raymond Sebond **660.** Charles Lindbergh **661.** À Vitré, dans l'Ille-et-Vilaine **662.** Nelly Dean **663.** Elle est aveugle **664.** Pablo Neruda dans *Il Postino/ Le facteur* **665.** L'Afrique du

Sud **666.** Victor Hugues **667.** Stendhal **668.** *Tristram Shandy* de Laurence Sterne **669.** Dona Prouhèze **670.** Théodore Agrippa d'Aubigné **671.** *Ada* **672.** Moïse **673.** Il a acheté une voiture de luxe qu'il a accidentée **674.** *Gilles* **675.** Un héros de la Résistance **676.** Stendhal **677.** *Le Roman comique* de Scarron **678.** *La Recherche de l'absolu* **679.** Edmond de Goncourt **680.** *L'opérette imaginaire* **681.** Juge **682.** Le Docteur Ralph **683.** Vilnius **684.** Le passage des Bérésinas **685.** Léon Blum **686.** D'une tulipe **687.** Wall Street **688.** Georges Simenon **689.** Il le fait mourir dès les premières pages **690.** Georges **691.** Miguel de Cervantès **692.** Un éternuement du narrateur **693.** Le Père Brown **694.** Eugène Ionesco **695.** D'un W **696.** Une casserole **697.** Petite-fille de d'Aubigné et épouse de Scarron **698.** *Jacques le fataliste et son maître* **699.** Marie de Rabutin-Chantal **700.** Valery Larbaud **701.** Ce sont trois des nombreux pseudonymes de Fernando Pessoa **702.** Il s'agirait d'un texte perdu d'Arthur Rimbaud **703.** Athos **704.** Romain Gary pour *Les racines du ciel* et pour *La vie devant soi* sous le pseudonyme d'Émile Ajar **705.** Virgile **706.** « Le pire n'est pas toujours sûr » **707.** La mort de Lady Di, le 31 août 1997 **708.** *Exercices d'admiration* de Cioran **709.** Vert **710.** La Brigade **711.** La Bibliothèque de Babel **712.** *Moby Dick* de Melville **713.** Louis Aragon **714.** Les grands rhétoriqueurs **715.** Héra **716.** Charles d'Orléans **717.** *La Périchole* **718.** Devenir lion **719.** Henri Michaux **720.** La remilitarisation de l'Allemagne **721.** Michel Déon **722.** Un concierge des *Mystères de Paris* de Sue **723.** Marie Dorval **724.** Goethe **725.** Emmanuèle **726.** Charlotte Corday **727.** Pierre **728.** Emily Dickinson **729.** Corée **730.** Pour défendre la cause pacifiste **731.** Ils vont en pèlerinage sur la tombe de saint Thomas Becket **732.** Elle est pauvre après avoir remboursé une dette **733.** Charles Baudelaire **734.** Un point de l'espace qui contient tous les autres **735.** Raymond Queneau **736.** Le souvenir des enseignes lumineuses, symbole de la modernité, qui trouent la nuit dans la ville **737.** Paolo et Francesca **738.** Denis Diderot **739.** Jules Renard **740.** Salviati **741.** Jean Grosjean et J.-M. G. Le Clézio **742.** La mise en abyme **743.** Claire Lannes **744.** Maxime Gorki **745.** *Colomba* **746.** Lemuel **747.** Snorri Sturluson **748.** *Sundborn ou Les jours de lumière* **749.** Laure **750.** Richard Millet **751.** *Dora*

Bruder **752.** Palamède **753.** L'écrivain chilien Roberto Bolaño, mort en 2003 **754.** *Le sommeil sur les cendres* **755.** Créon est à la fois son oncle et le père de son fiancé **756.** Jean Tardieu **757.** *Les enfants terribles* **758.** Lucien de Rubempré **759.** James Joyce **760.** *Anna Karénine* de Tolstoï **761.** Gatsby de Francis Scott Fitzgerald **762.** Louis Aragon **763.** *Le drame de la vie* **764.** Jean Bruller **765.** *La Confession d'un enfant du siècle* de Musset **766.** « Je suis encore vivant » **767.** Guillaume de Lorris et Jean de Meung **768.** « Le Rideau cramoisi » **769.** Ce sont des vieillards **770.** Des « caractères » de La Bruyère **771.** *Les Mystères du Peuple* **772.** Munich **773.** Céline **774.** Ange et Marceau **775.** André Maurois **776.** François-René de Chateaubriand, dans *Mémoires d'outre-tombe* **777.** Sarah Bernhardt **778.** Le monde **779.** Gérard de Nerval **780.** Diane Salviati **781.** Philippe Soupault **782.** Sa mère **783.** Louis Calaferte **784.** « Moi » **785.** Les personnages des *Diablogues* **786.** Des cartes à jouer **787.** La Madeleine **788.** Léopold **789.** Jules et Edmond de Goncourt **790.** « Si nous habitons un éclair, il est le cœur de l'éternel », citation de René Char **791.** *À malin malin et demi* **792.** Augustin Meaulnes **793.** Les Feuillantines **794.** *La chute,* Amsterdam **795.** Un garde-barrière

COLLECTION FOLIO

Dernières parutions

5353. Conan Doyle	*Un scandale en Bohême* suivi de *Silver Blaze. Deux aventures de Sherlock Holmes*
5354. Jean Rouaud	*Préhistoires*
5355. Mario Soldati	*Le père des orphelins*
5356. Oscar Wilde	*Maximes et autres textes*
5357. Hoffmann	*Contes nocturnes*
5358. Vassilis Alexakis	*Le premier mot*
5359. Ingrid Betancourt	*Même le silence a une fin*
5360. Robert Bobert	*On ne peut plus dormir tranquille quand on a une fois ouvert les yeux*
5361. Driss Chraïbi	*L'âne*
5362. Erri De Luca	*Le jour avant le bonheur*
5363. Erri De Luca	*Première heure*
5364. Philippe Forest	*Le siècle des nuages*
5365. Éric Fottorino	*Cœur d'Afrique*
5366. Kenzaburô Ôé	*Notes de Hiroshima*
5367. Per Petterson	*Maudit soit le fleuve du temps*
5368. Junichirô Tanizaki	*Histoire secrète du sire de Musashi*
5369. André Gide	*Journal. Une anthologie (1899-1949)*
5370. Collectif	*Journaux intimes. De Madame de Staël à Pierre Loti*
5371. Charlotte Brontë	*Jane Eyre*
5372. Héctor Abad	*L'oubli que nous serons*
5373. Didier Daeninckx	*Rue des Degrés*
5374. Hélène Grémillon	*Le confident*
5375. Erik Fosnes Hansen	*Cantique pour la fin du voyage*
5376. Fabienne Jacob	*Corps*
5377. Patrick Lapeyre	*La vie est brève et le désir sans fin*

5378.	Alain Mabanckou	*Demain j'aurai vingt ans*
5379.	Marguerite Duras François Mitterrand	*Le bureau de poste de la rue Dupin* et autres entretiens
5380.	Kate O'Riordan	*Un autre amour*
5381.	Jonathan Coe	*La vie très privée de Mr Sim*
5382.	Scholastique Mukasonga	*La femme aux pieds nus*
5383.	Voltaire	*Candide ou l'Optimisme. Illustré par Quentin Blake*
5384.	Benoît Duteurtre	*Le retour du Général*
5385.	Virginia Woolf	*Les Vagues*
5386.	Nik Cohn	*Rituels tribaux du samedi soir et autres histoires américaines*
5387.	Marc Dugain	*L'insomnie des étoiles*
5388.	Jack Kerouac	*Sur la route. Le rouleau original*
5389.	Jack Kerouac	*Visions de Gérard*
5390.	Antonia Kerr	*Des fleurs pour Zoë*
5391.	Nicolaï Lilin	*Urkas! Itinéraire d'un parfait bandit sibérien*
5392.	Joyce Carol Oates	*Zarbie les Yeux Verts*
5393.	Raymond Queneau	*Exercices de style*
5394.	Michel Quint	*Avec des mains cruelles*
5395.	Philip Roth	*Indignation*
5396.	Sempé-Goscinny	*Les surprises du Petit Nicolas. Histoires inédites-5*
5397.	Michel Tournier	*Voyages et paysages*
5398.	Dominique Zehrfuss	*Peau de caniche*
5399.	Laurence Sterne	*La Vie et les Opinions de Tristram Shandy, Gentleman*
5400.	André Malraux	*Écrits farfelus*
5401.	Jacques Abeille	*Les jardins statuaires*
5402.	Antoine Bello	*Enquête sur la disparition d'Émilie Brunet*
5403.	Philippe Delerm	*Le trottoir au soleil*
5404.	Olivier Marchal	*Rousseau, la comédie des masques*

5405. Paul Morand — *Londres* suivi de *Le nouveau Londres*
5406. Katherine Mosby — *Sanctuaires ardents*
5407. Marie Nimier — *Photo-Photo*
5408. Arto Paasilinna — *Le potager des malfaiteurs ayant échappé à la pendaison*
5409. Jean-Marie Rouart — *La guerre amoureuse*
5410. Paolo Rumiz — *Aux frontières de l'Europe*
5411. Colin Thubron — *En Sibérie*
5412. Alexis de Tocqueville — *Quinze jours dans le désert*
5413. Thomas More — *L'Utopie*
5414. Madame de Sévigné — *Lettres de l'année 1671*
5415. Franz Bartelt — *Une sainte fille et autres nouvelles*
5416. Mikhaïl Boulgakov — *Morphine*
5417. Guillermo Cabrera Infante — *Coupable d'avoir dansé le cha-cha-cha*
5418. Collectif — *Jouons avec les mots. Jeux littéraires*
5419. Guy de Maupassant — *Contes au fil de l'eau*
5420. Thomas Hardy — *Les Intrus de la Maison Haute* précédé d'un autre conte du Wessex
5421. Mohamed Kacimi — *La confession d'Abraham*
5422. Orhan Pamuk — *Mon père et autres textes*
5423. Jonathan Swift — *Modeste proposition et autres textes*
5424. Sylvain Tesson — *L'éternel retour*
5425. David Foenkinos — *Nos séparations*
5426. François Cavanna — *Lune de miel*
5427. Philippe Djian — *Lorsque Lou*
5428. Hans Fallada — *Le buveur*
5429. William Faulkner — *La ville*
5430. Alain Finkielkraut (sous la direction de) — *L'interminable écriture de l'Extermination*
5431. William Golding — *Sa majesté des mouches*
5432. Jean Hatzfeld — *Où en est la nuit*

5433. Gavino Ledda — *Padre Padrone. L'éducation d'un berger Sarde*
5434. Andrea Levy — *Une si longue histoire*
5435. Marco Mancassola — *La vie sexuelle des super-héros*
5436. Saskia Noort — *D'excellents voisins*
5437. Olivia Rosenthal — *Que font les rennes après Noël?*
5438. Patti Smith — *Just Kids*
5439. Arthur de Gobineau — *Nouvelles asiatiques*
5440. Pierric Bailly — *Michael Jackson*
5441. Raphaël Confiant — *La Jarre d'or*
5442. Jack Kerouac — *Visions de Cody*
5443. Philippe Le Guillou — *Fleurs de tempête*
5444. François Bégaudeau — *La blessure la vraie*
5445. Jérôme Garcin — *Olivier*
5446. Iegor Gran — *L'écologie en bas de chez moi*
5447. Patrick Mosconi — *Mélancolies*
5448. J.-B. Pontalis — *Un jour, le crime*
5449. Jean-Christophe Rufin — *Sept histoires qui reviennent de loin*
5450. Sempé-Goscinny — *Le Petit Nicolas s'amuse*
5451. David Vann — *Sukkwan Island*
5452. Ferdinand Von Schirach — *Crimes*
5453. Liu Xinwu — *Poussière et sueur*
5454. Ernest Hemingway — *Paris est une fête*
5455. Marc-Édouard Nabe — *Lucette*
5456. Italo Calvino — *Le sentier des nids d'araignées* (à paraître)
5457. Italo Calvino — *Le vicomte pourfendu*
5458. Italo Calvino — *Le baron perché*
5459. Italo Calvino — *Le chevalier inexistant*
5460. Italo Calvino — *Les villes invisibles* (à paraître)
5461. Italo Calvino — *Sous le soleil jaguar* (à paraître)
5462. Lewis Carroll — *Misch-Masch* et autres textes de jeunesse
5463. Collectif — *Un voyage érotique. Invitation à l'amour dans la littérature du monde entier*

5464. François de La Rochefoucauld — *Maximes* suivi de *Portrait de de La Rochefoucauld par lui-même*

5465. William Faulkner — *Coucher de soleil* et autres Croquis de La Nouvelle-Orléans

5466. Jack Kerouac — *Sur les origines d'une génération* suivi de *Le dernier mot*

5467. Liu Xinwu — *La Cendrillon du canal* suivi de *Poisson à face humaine*

5468. Patrick Pécherot — *Petit éloge des coins de rue*

5469. George Sand — *Le château de Pictordu*

5470. Montaigne — *Sur l'oisiveté* et autres Essais en français moderne

5471. Martin Winckler — *Petit éloge des séries télé*

5472. Rétif de La Bretonne — *La Dernière aventure d'un homme de quarante-cinq ans*

5473. Pierre Assouline — *Vies de Job*

5474. Antoine Audouard — *Le rendez-vous de Saigon*

5475. Tonino Benacquista — *Homo erectus*

5476. René Fregni — *La fiancée des corbeaux*

5477. Shilpi Somaya Gowda — *La fille secrète*

5478. Roger Grenier — *Le palais des livres*

5479. Angela Huth — *Souviens-toi de Hallows Farm*

5480. Ian McEwan — *Solaire*

5481. Orhan Pamuk — *Le musée de l'Innocence*

5482. Georges Perec — *Les mots croisés*

5483. Patrick Pécherot — *L'homme à la carabine. Esquisse*

5484. Fernando Pessoa — *L'affaire Vargas*

5485. Philippe Sollers — *Trésor d'Amour*

5487. Charles Dickens — *Contes de Noël*

5488. Christian Bobin — *Un assassin blanc comme neige*

5490. Philippe Djian — *Vengeances*

5491. Erri De Luca — *En haut à gauche*

5492. Nicolas Fargues — *Tu verras*

5493. Romain Gary — *Gros-Câlin*

5494. Jens Christian Grøndahl — *Quatre jours en mars*

5495. Jack Kerouac — *Vanité de Duluoz. Une éducation aventureuse 1939-1946*
5496. Atiq Rahimi — *Maudit soit Dostoïevski*
5497. Jean Rouaud — *Comment gagner sa vie honnêtement. La vie poétique, I*
5498. Michel Schneider — *Bleu passé*
5499. Michel Schneider — *Comme une ombre*
5500. Jorge Semprun — *L'évanouissement*
5501. Virginia Woolf — *La Chambre de Jacob*
5502. Tardi-Pennac — *La débauche*
5503. Kris et Étienne Davodeau — *Un homme est mort*
5504. Pierre Dragon et Frederik Peeters — *R G Intégrale*
5505. Erri De Luca — *Le poids du papillon*
5506. René Belleto — *Hors la loi*
5507. Roberto Calasso — *K.*
5508. Yannik Haenel — *Le sens du calme*
5509. Wang Meng — *Contes et libelles*
5510. Julian Barnes — *Pulsations*
5511. François Bizot — *Le silence du bourreau*
5512. John Cheever — *L'homme de ses rêves*
5513. David Foenkinos — *Les souvenirs*
5514. Philippe Forest — *Toute la nuit*
5515. Éric Fottorino — *Le dos crawlé*
5516. Hubert Haddad — *Opium Poppy*
5517. Maurice Leblanc — *L'Aiguille creuse*
5518. Mathieu Lindon — *Ce qu'aimer veut dire*
5519. Mathieu Lindon — *En enfance*
5520. Akira Mizubayashi — *Une langue venue d'ailleurs*
5521. Jón Kalman Stefánsson — *La tristesse des anges*
5522. Homère — *Iliade*
5523. E.M. Cioran — *Pensées étranglées* précédé du *Mauvais démiurge*
5524. Dôgen — *Corps et esprit. La Voie du zen*
5525. Maître Eckhart — *L'amour est fort comme la mort* et autres textes

5526. Jacques Ellul	*« Je suis sincère avec moi-même »* et autres lieux communs
5527. Liu An	*Du monde des hommes. De l'art de vivre parmi ses semblables.*
5528. Sénèque	*De la providence* suivi de *Lettres à Lucilius (lettres 71 à 74)*
5529. Saâdi	*Le Jardin des Fruits. Histoires édifiantes et spirituelles*
5530. Tchouang-tseu	*Joie suprême* et autres textes
5531. Jacques de Voragine	*La Légende dorée. Vie et mort de saintes illustres*
5532. Grimm	*Hänsel et Gretel* et autres contes
5533. Gabriela Adameşteanu	*Une matinée perdue*
5534. Eleanor Catton	*La répétition*
5535. Laurence Cossé	*Les amandes amères*
5536. Mircea Eliade	*À l'ombre d'une fleur de lys...*
5537. Gérard Guégan	*Fontenoy ne reviendra plus*
5538. Alexis Jenni	*L'art français de la guerre*
5539. Michèle Lesbre	*Un lac immense et blanc*
5540. Manset	*Visage d'un dieu inca*
5541. Catherine Millot	O Solitude
5542. Amos Oz	*La troisième sphère*
5543. Jean Rolin	*Le ravissement de Britney Spears*
5544. Philip Roth	*Le rabaissement*
5545. Honoré de Balzac	*Illusions perdues*
5546. Guillaume Apollinaire	*Alcools*
5547. Tahar Ben Jelloun	*Jean Genet, menteur sublime*
5548. Roberto Bolaño	*Le Troisième Reich*
5549. Michaël Ferrier	*Fukushima. Récit d'un désastre*
5550. Gilles Leroy	*Dormir avec ceux qu'on aime*
5551. Annabel Lyon	*Le juste milieu*
5552. Carole Martinez	*Du domaine des Murmures*
5553. Éric Reinhardt	*Existence*
5554. Éric Reinhardt	*Le système Victoria*
5555. Boualem Sansal	*Rue Darwin*
5556. Anne Serre	*Les débutants*
5557. Romain Gary	*Les têtes de Stéphanie*

Composition Nord Compo
Impression Maury Imprimeur
45330 Malesherbes
le 26 octobre 2015.
Dépôt légal : octobre 2015.
1er dépôt légal dans la collection : mars 2013.
Numéro d'imprimeur : 204230.

ISBN 326-0-05-088202-6. / Imprimé en France.